JN119206

現代中東における
宗教・メディア・ネットワーク
イスラームのゆくえ

千葉悠志・安田 慎 [編]
CHIBA Yushi　　YASUDA Shin

春風社

現代中東における

宗教・メディア・ネットワーク

イスラームのゆくえ

目次

第2部　宗教と制度的ネットワーク

序章

現代中東における宗教とレジリエンス

メディア社会への抵抗と適応

千葉悠志

1. はじめに

　今日、イスラーム教徒（以下、ムスリム）の数は世界人口の約4分の1を占めるまでに成長し、今世紀の終わり頃にはキリスト教徒を抜いて世界最多の宗教人口になるとの推計すらある[1]。なかでも中東地域は、発展するイスラーム世界の精神的基軸であると言えるだろう。その理由は、7世紀初頭にイスラームが誕生して以来、この地域を中心にイスラームが拡大してきたためであり、また聖典クルアーン（コーラン）の言語であるアラビア語が主要言語として用いられてきたことで、宗教的知識が絶えず生み出され、それが継承されてきたためでもある。本書は、中東地域におけるイスラームの現代的動態を、主にメディアや制度的ネットワークと関係づけて理解することを目的とした論集である。

　情報化の進展に伴い、現代社会がメディア社会の様相を呈しつつあることは明らかであるが、中東もその例外ではなく、社会全般に大きな変化が生じている。『メディア時代における宗教』の著者であるS.フーバーによると、宗教とメディアの結びつきもかつてなく強まっており、それによって宗教を支えてきた組織や制度のあり方にも変容が生じつつあるのだという［Hoover 2006］。同時に、宗教には「可変的な部分」だけでなく、「可変ならざる部分」があるとして、情報化が

もたらす宗教の変容に慎重な議論も見られる［Eisenlohr 2016］。例えば、今日では特定のアプリをインストールすれば、スマートフォンで場所や時間を問わずにクルアーンを読む／聴くことができるようになったが、それによってクルアーンの中身が変わったわけでも、その権威が単純に損なわれたわけでもないことは明らかであろう。

　そうは言っても、デジタル化が進んだことで「手書き文化」が廃れ、クルアーン書家の仕事が無くなったりはしなかったのであろうか。また、現代社会の急速な変化に対して、イスラームを支えてきた制度的基盤に、何らかの変化が生じることはなかったのであろうか。本書は、こうした問いに答えるための手がかりを提供するものである。

　本書は二部から構成される。第1部「宗教とメディア」では、聖典クルアーンをまとめたムスハフと呼ばれる書物や、イスラームに関する雑誌、映画、放送、インターネットなどを取り上げて、各媒体の歴史や宗教上の機能などについて検討を行う。続く第2部「宗教と制度的ネットワーク」では、宗教慈善団体、イスラームに関する国家間組織、加えてイスラーム金融に携わる法学者集団などを、イスラームに対する信頼を生み出し、そして教義や伝統の継承、伝達、知識産出などに関わる制度的ネットワークと捉え、それらの役割を検討する。その冒頭となるこの序章では、本書全体に関わる背景知識を読者へと提供することを目的に、中東地域におけるイスラームをめぐる現在の状況を概観したうえで、各章の内容を紹介したい。

2. 中東における宗教復興概観

(1) 宗教的意識の高揚と社会的変化

　1960年代半ば頃から、それまで衰退過程にあるとされていた宗教の再生が世界各地で見られるようになった。例えば、フランスの社会学者であるG.ケペルは、キリスト教、ユダヤ教、

イスラームの比較検討を通じて、1970年代以降に各国で宗教復興が顕在化してきた様子を詳述している［ケペル 1992］。また、宗教復興が一神教の文脈に限られるものではなく、仏教やヒンドゥーといった宗教でも見られたことは、既存の地域研究や宗教学の研究が明らかにしているところである。重要なのは、これらの変化が人びとの「心の内」に留まることなく、宗教実践や社会運動として可視化され、その影響が政治経済や社会全般に及ぶようになったことであった。特に、イスラームに見られる宗教復興は「イスラーム復興」と呼ばれ、学術領域でも多くの議論や研究成果を生み出してきた。

　具体的な変化としては、日々の礼拝やイスラームが定める食事規定、ラマダーン月の断食などを遵守しようとする人びとの数が目に見えて増えたことが挙げられる。また、イスラームの教えでは、女性は髪や肌などの「美しい部分」を家族以外の男性から遠ざけるべきだとされ、ヒジャーブ（ヴェール）の着用や長衣に身を纏うことが奨励される。人それぞれに理由は異なるが、総じて女性の多くが「イスラーム・ファッション」に身を包むようになった。さらに、礼拝のためのモスクが新しく建てられたり、天然資源で潤う湾岸諸国の投資によってイスラーム銀行が次々とつくられたりするなど、人びとの信仰を支える制度の整備も進んだ。こうした変化に呼応し、各国の為政者たちも、クルアーンやスンナ（預言者の言行）を憲法の主要な法源と位置付け、そして敬神的な指導者として振る舞うことで、その政治がイスラーム的な正統性を持つものであることを人びとへと示そうとした。

　イスラーム復興が始まった当初、それを過去への回帰志向の表れや、反近代的運動とみなして批判する向きもあった。特に、A.コントやK.マルクス、M.ヴェーバーの影響を受けた欧米の人文社会科学研究では、近代化が進み、科学的思考が広がれば、合理的個人が増えて宗教が必然的に衰退するはずだという「脱魔術化」の考えが通説化していた。そして、1960年代に入るとP. L.バーガーやT.ルックマンらの研究に先導されるかたちで、世俗化や宗教の私事化に関する議論が盛

んに行われるようになった。しかし、その後の展開を見れば明らかなように、単純な宗教の衰退は生じておらず、むしろ近代化論や世俗化論を自明視する当時の有力仮説自体の見直しが進んだのである。イスラーム復興をつぶさに観察した研究者たちは、人びとが宗教を捨て去ることなしに、近代化の恩恵や技術的進歩を柔軟に取り入れながら、時代にあった宗教のかたちを模索していく様子を描き出した。

　イスラーム復興をめぐっては、既に数多くの研究が行われており、その全てをここで論じることは避けたい[2]。ただし、イスラーム復興研究の多くで、その近代的・現代的性格が強調されてきたことには改めて触れておきたい。例えば、中東を対象とした人類学研究で知られる大塚和夫は、「イスラーム改革、イスラーム主義、さらにイスラーム復興などという言葉で表されてきた諸潮流は、程度の差こそあれ、〈前近代〉のムスリム世界で一般的であった『中世的』イスラームを批判するという共通点をもつ」［大塚 2004: 241］と指摘している。さらに、イスラーム復興研究の第一人者である小杉泰は、「イスラーム復興運動とは、イスラームを現代化する動き」［小杉 2001: 41］と述べて、イスラームと現代性の融合の試みのなかにこそ、イスラーム世界が今後向かう道が示されるだろうと見ている。さらに、イスラームがグローバル化と排他的な関係よりも、むしろ親和的、あるいは相互作用的な関係を築いていることは、複数の研究において示されているところである[3]。

　こうしたことは、イスラーム復興が今日の権利の拡大を求める世界的な動きと必ずしも対立するものでないことからも明らかである。例えば、ヒジャーブや長衣を纏う女性が増えたことはすでに指摘した通りであるが、そこには近代教育を受けている高学歴な者も少なくなかった。あるいは、女性の多くがより良い自己実現のためにイスラーム・ファッションを主体的に選択し、自己研鑽や社会改革の一環として捉えていることを明らかにしている研究もある[4]。中東地域におけるイスラームが、世界的に盛り上がりを見せている格差是正

や社会改革などの思想・運動といかに結びつくのかは、実に興味深い問題である。

(2) イスラーム政治の展開

　イスラーム復興とともに、イスラーム主義と呼ばれる宗教に基づく社会変革や国家建設を求めるイデオロギーの台頭も見られるようになった。それを担ったのがイスラーム主義者であり、彼らによって担われるイスラーム主義運動は20世紀の中東政治を考えるうえで極めて重要である。なかでも有名なのが、1928年にエジプトで結成されたムスリム同胞団である。同組織は、都市化や大衆社会の成立とともに成長し、1940年代までにはエジプト最大のイスラーム主義組織となった。その後、政権との衝突によって一時は解散寸前まで追い込まれたが、その間にもエジプト以外の国々で支部を設けるなど基盤を広げていった。そして、1970年代以降の政治的自由化の恩恵を受けてエジプトでも再生を遂げた[5]。ムスリム同胞団以外にも、この時期には各国で数々のイスラーム主義組織が誕生している。

　中東の政治と宗教を語るうえで、1979年は重要な年である。最大の事件は、親米・世俗国家の代表格であったイランで起きた。革命が起きて王政が倒れると、選挙を経てイラン・イスラーム共和国という宗教色の強い国が誕生したのである。一方、イランと向かい合うサウディアラビアでも、マフディー(救世主)を名乗る人物を中心とした過激派が、マッカのカアバ聖殿を占領する事件が起きた。この翌々年には、エジプトでも過激派のジハード団が、イスラエルとの和平合意を締結したサーダート大統領を不信仰者と断じて暗殺した。サウディアラビアとエジプトの事件に象徴されるのは、「イスラームから逸脱した為政者は倒されるべきだ」という過激派の脅威の高まりであった[6]。一連の事件を受けて、各国政府は過激派の取り締まりを強化したが、その際に穏健なイスラーム主義組織にまで圧力を加えたのは、政権に挑戦しうる対抗勢力の芽を摘む意図があったからだと考えられている。結果、

イスラーム主義者たちはその活動を福祉や教育、医療などの草の根活動に限定せざるを得ず、政治参加が許された場合であっても、万年野党の立場を余儀なくされた。

こうした状況にも関わらず、中東におけるイスラーム主義運動は国家が十分に提供しえなかった社会福祉を人びとに提供することで、時とともにその影響力を強めていった［Bayat 2013: 68-73］。例えば、パレスチナとレバノンでは、従来の左派組織に代わり、ハマースとヒズブッラーが住民の支持を集めて台頭した[7]。また、1991年のアルジェリアで行われた総選挙でも、イスラーム救国戦線が圧勝した——ただし、この時には事態を重く見た軍が介入し、内戦が起きたことでイスラーム救国戦線が実際に政権運営を担うことはなかった。さらに、2003年のイラク戦争でS.フセイン政権が倒れると、イスラーム・ダアワ党の亡命指導者たちが帰還し、その後の総選挙を経て政権の中枢を担うようになった[8]。加えて、中東各国に激震をもたらした大規模な政治騒乱「アラブの春」が生じると、独裁者が追放された国々では、イスラーム主義者たちが正式に政治参加できるようになった。その結果、自由選挙が行われたチュニジアとエジプトでは、ナフダ党とムスリム同胞団がそれぞれ国権を掌握した（写真1）。

写真1　ナフダ党の支持者によるデモ
（出典）筆者撮影（チュニス、2013年2月10日）

しかし、「アラブの春」は必ずしもイスラーム主義への追い風とはならず、国によっては逆風が吹いた。例えば、エジプトの場合、1年余り続いたムスリム同胞団の政権運営は、軍によるクーデターであっけなく終わり、その後は徹底的な取り締まりの対象となった。M. ムルスィー元大統領の拘束と、その後の獄中死は、ムスリム同胞団の失脚を示す象徴的出来事であった。軍のイメージ戦略もあって、現在のエジプトでは「ムスリム報道団≒テロ組織」というイメージが定着している。またバハレーンのイスラーム主義組織ウィファークも、国内騒乱を助長したとの罪で解党を命じられ、主要メンバーが逮捕された。民主化へと移行したチュニジアの場合、ナフダ党が主要政党の座を保ち続けてはいるが、政治運営の過程で世俗政党への歩み寄りを余儀なくされ、イスラーム主義組織としての独自性を打ち出せずにいる。

　それでもなお、政治に対する宗教の影響力は強まることはあれど、弱まってはいないのが現状であろう。社会福祉的側面を持つイスラーム主義は、経済的停滞や格差が拡大する中東地域では現状へのオルタナティブとなりうるものであり、さらに宗教と政治をめぐるそれ以外の問題も前景化している。特に、域内覇権をめぐるイランとサウディアラビアとの対立は、スンナ派とシーア派という宗派感情と絡まり合い、中東地域の新たな火種となっている[9]。また、ムスリム同胞団をはじめ、政権に弾圧を受けた組織であっても、現在では衛星放送やインターネットを通じて盛んに情報発信しており、そのメッセージを完全に遮断することは容易ではない。例えば、筆者がエジプトに滞在した際（2019年9月）には、同国内では禁止されているはずのムスリム同胞団系のテレビ・チャンネルが、宿泊施設のテレビで特に問題なく視聴できる状態にあった。加えて、各国の政治的混乱に乗じて台頭した過激派イスラーム主義組織への対応は、中東のみならず国際社会が取り組むべき急務の課題と化している。政治と宗教が重なり合う領域が広がるなかで、今後のイスラーム政治の展開を注視していく必要性が一層高まっていると言えるだろう[10]。

（3）宗教とレジリエンス

　「アラブの春」以降、とりわけ各国におけるイスラーム主義運動の行き詰まりが露呈し、さらにインターネットを通じて様々な情報入手が可能になるなかで、「イスラーム主義の求心力低下」や「若者のイスラーム離れ」が指摘されることも増えた[11]。いかに人びとのイスラーム離れを防ぐかは、各国の宗教指導者層にとってしばしば悩みの種となっているようである[12]。ただし、そこにイスラーム復興の凋落を読み取るのは時期尚早であり、そうした議論はともすればイスラームの持つ「レジリエンス」を軽視するものとなりうる。

　近年、日本でも人口に膾炙しつつあるこの用語は、「強靱性」「柔靭性」「復元力」「回復力」などと訳され、外部の変化や圧力に直面した人、モノ、制度などが、もとのかたちを変えつつも、その本質的な部分を残しながら存続し続けることを示す概念である。例えば、『地の塩――世俗化時代における宗教的レジリエンス』の著者であるM.パーシーは、「現代文化のなかの宗教的レジリエンスには、抵抗（resistance）と適応（accommodation）という2つの側面がある」[Percy 2001: 49]と述べて、特に世俗化が進む西欧においても宗教がレジリエンスを持ち、今後も存続し続ける可能性を指摘している。

　彼の議論は、主にキリスト教を対象としたものであるが、宗教がレジリエンスを持つというその議論は、イスラームを論じるにあたっても示唆的である[13]。イスラームが外部の変化を柔軟に取り入れながら発達してきたことを示す事例は、歴史を紐解けば枚挙に暇がない。したがって、ここでは近年の事例に限定して考えてみたい。例えば、筆者は2019年にアブダビ首長国（アラブ首長国連邦）にあるシャイフ・ザーイド・グランド・モスクを数年ぶりに訪問した。その際、モスク敷地内の地下にスターバックスやマクドナルドなどを併設したショッピングモールさながらの空間がつくられ、モスクに辿り着くにはそこを通らねばならなくなっていたことに驚いた。モスクの周辺にスーク（市場）が立つことは昔からよくあることだが、モスクとモールの組み合わせは、筆者の目にはイ

スラームと消費社会の融合形態のように映った。

　また、参詣や巡礼に見られる変化も興味深いものがある。自動車や旅客機のような輸送手段の発達によって、参詣や巡礼にかかるコストや時間が大幅に低下しただけでなく、それが産業化・商業化されることで、イスラミック・ツーリズムやハラール・ツーリズムといった新しいビジネス分野が生まれつつあるという[14]。さらに、参詣や巡礼の様子をスマートフォンで自撮りし、それをSNS上に投稿する者も増えている。これを宗教的アウラの喪失と捉えるのが良いのか、はたまたメディアを通じた宗教イメージの拡散と見るのが適当なのかは意見が分かれるところであろう。ただし、子供向けの宗教教育をアニメやアプリを使って行う試みなどは、メディア上で好意的に取り上げられており、このことからは少なくとも宗教教育にメディアが役立つと思われていることが確認できる[15]（写真2）。

　他にも、今日のイスラーム金融は、グローバルスタンダードである従来型金融との関係において発展し、イスラーム世界の拡大に伴い更なる成長が見込まれる分野である。リバー（利子）の禁止というイスラームの教えを守りながら、オンラインバンキングやフィンテックのような最新の金融サービスなどと結びつくことで、グローバル経済への適応を見事に果たしている[16]。紙数の都合上、事例を限らざるを得ないが、

写真2　YouTubeやゲームなどが宗教を身近なものにすると説く記事
（出典）「アラブ」紙（2020年5月12日）からの抜粋

これらだけでも今日のイスラームが持ちうる「レジリエンス」の一端が示されるのではないか。筆者を含め、本書の執筆者たちはイスラームがもつこうした側面に着目したいと考えている。特に、本書においては情報化に象徴される現代社会の諸変化に対し、イスラームがどのように抵抗／適応し、そしていかなる変容を遂げてきたのかを検討することで、そこからイスラームのゆくえを展望したい。

3. 本書の内容と構成

(1)「メディア」と「制度的ネットワーク」

　本書では、今日のイスラームと不可分の関係にあると考えられる「メディア」および「制度的ネットワーク」という2点に着目する。まず、メディアに着目する理由は、本章の冒頭でも述べたように、中東の社会がますますメディア社会の様相を呈しつつあるためであり、それが今後のイスラームに与える影響が注視されるからである。例えば、メディア論で知られるM.マクルーハンは、15世紀のグーテンベルクによる活版印刷技術の発明が、視覚中心文化を築くことで生きた経験の解体をもたらし、「現代生活の非聖化」[マクルーハン 1986: 109]を促したと指摘している。また、ナショナリズム研究で知られるB.アンダーソンも、複製印刷技術と資本主義の結びつきが宗教的紐帯から国民的紐帯への転換をもたらしたと論じるなど[アンダーソン 1997]、メディアの発達は宗教の衰退（特にキリスト教的文脈では宗教の個人化や世俗化）と結びつけて論じられることが多かった。

　しかし、中東のイスラームを論じる際に、既存の分析枠組みを無批判に援用するだけでは不十分と思われる。その理由は、イスラーム復興とメディアとの関係が論じられる際には、メディアの発達が宗教復興を促した側面やその肯定的な役割が強調されることが多いためである。例えば、人類学者のC.ハーシュキンドは、カセットテープというメディアの普及

が、宗教的な音環境を形成し、それが中東地域（とくにエジプト）における人びとの宗教意識の高揚に資したと指摘している［Hirschkind 2006］。また、衛星放送やインターネットといった越境性の高いメディアの登場によって、ウンマ（イスラーム共同体）が可視化されるようになったという議論もある［Bunt 2000; Bunt 2009］。こうした議論は、電子メディアの発達に伴う「再部族化」を論じたマクルーハンの議論の延長線上に位置づけられるものであるのか、あるいは新しい理論によって論じられるものであるのか。メディアという観点から、イスラームを考察することで得られる発見は多いはずである。

　次に、制度的ネットワークに着目する理由は、それが現代のイスラームを支える役割を果たしているからである。イスラームの歴史を紐解けば、ワクフ（寄進財産）やザカート（定めの喜捨）といったイスラーム経済制度、またイスラームの知を紡ぎ、それを後世に伝えるクッターブ（宗教に関する初等教育学校）やマドラサ（宗教学院）といった教育施設、さらにはイスラーム法に関わるシャリーア法廷などが存在し、ムスリムたちはそうした個々の制度から成り立つ網の目のなかに生きてきた。だが、近代西洋との邂逅を経て、イスラーム世界は分割され、中東地域は近代国民国家から成る「中東諸国体制」へと再編された［オーウェン 2015］。その過程で、イスラームを支えていたそれまでの制度的ネットワークの大半は再編され、その自立性を喪失した。

　変化が現われたのは、1970年代以降のことである。イスラーム復興の顕在化とととともに、イスラームを支える制度的ネットワークの再生が見られたのである。そして、それらは過去のものと同一ではなく、現代社会に適応した新たな側面や特徴を併せ持っている。本書では、その全てを扱うことはできないにしても、イスラームの価値観に基づく慈善組織や、各国が協力して立ち上げた国際組織、さらにイスラーム金融やそれを担う法学者集団などを取り上げたうえで、それぞれが今日のイスラームの動態をいかにかたちづくっているのかを検討したい。

（2）各章の概要

　本書の第1部「宗教とメディア」には、中東における複製技術登場以降の近代的なメディア、具体的には書籍、雑誌、映画、放送、さらにはSNSなどの導入のプロセスや、それらとイスラームとの関係性についての6つの論考を収録した。

　第1章「アラブ世界における出版技術の発展とクルアーンの刊本化」では、アラブ世界における複製印刷技術の導入過程が詳述されるとともに、それを用いたクルアーンの印刷がなぜ長い時間を要したのかについて、当時の社会状況だけでなく、アラビア文字や書体の様式美などにまで踏み込んだ分析が行われている。特に同章の後半では、近年の印刷技術の発達とともに、ムスハフが大量に刷られるようになった一方で、それによって書家の役割が単純に廃れたわけでなく、新たな展開を迎えていることが述べられる。デジタル化が今後一層進んでいくことが予想されるなかで、クルアーンやムスハフの今後を考えるうえで極めて示唆的な論考と言えるだろう。

　第2章「現代イスラーム改革の思想戦略と『現代のムスリム』誌——20世紀後半のアラブ思想界の深層を読む」では、1970年代から約40年にわたりエジプトで刊行され続けてきた思想雑誌『現代のムスリム』が取り上げられ、その内容分析を通して、同誌が知識人たちの意見交換の場として機能してきた事実が指摘されている。現代のイスラーム思想は、イスラーム的な価値観を重視する点で共通性を有しながらも、その内実は一枚岩として語り得るものではない。同章からは、時代や状況に応じて中東の思想家たちが、イスラームをめぐる様々な思想を紡いできたことや、雑誌というメディアがそのための場としての役割を果たしていたことが分かる。

　第3章「白い異邦人から真正なる巡礼者へ——ヨハン・ルードヴィヒ・ブルクハルトのマッカ巡礼経験をめぐる再帰性と超越性」では、18世紀初頭にマッカ巡礼を行い、その経験を旅行記として書き残した西洋人旅行家ヨハン・ルードヴィヒ・ブルクハルトの『アラビア半島の旅』が取り上げられ、その執筆の背景が論じられるとともに、後世の西欧の人びと

やムスリムたちのあいだでこの旅行記がいかに受容されてきたのかが論じられている。具体的には、同旅行記が、ヨーロッパとイスラーム世界の双方で読み継がれることを通して、次第に「理想的な巡礼経験を得るための指南書」となっていったことが指摘されている。

第4章「『モラル装置』化する映画——エジプト・コメディ映画に描かれる『偽物のイスラーム』」では、「中東のハリウッド」と呼ばれるエジプトの映画の歴史が概観されたのち、最近のコメディ映画におけるイスラームの表象が検討されている。これらで「イスラーム主義者」があえて描かれる場合、彼らが胡散臭い存在として描かれることが多いという指摘は、イスラームをめぐる表象を考えるうえで示唆に富むものである。同章の分析からは、映画というメディアが、「正しいイスラーム」と「正しくないイスラーム」を峻別し、それを観客に提示する一種の「モラル装置」としての機能を果たしていることが示される。

第5章「放送メディアとイスラーム——宗教的言説空間の拡大と変容」では、20世紀以降の中東における放送の発達と宗教との関係の概観がなされたのち、特に衛星放送時代の到来によって、従来の宗教的なメディア空間に生じた具体的な変容が明らかにされている。イスラームをめぐっては、しばしばそのコンテンツに焦点が当てられがちであるが、同章を通じて、読者は1970年代以降の宗教復興の背景に、メディア空間の変容が深く関わっていたことを知ることができるだろう。同章でも言及されている通り、視聴可能なチャンネルや番組の選択肢を著しく広げた衛星放送時代は、情報の引き出しを人びとに求めるインターネット時代の前身として位置付けることができる。放送からポスト放送の過渡期に位置づけられる時期に、宗教番組に生じた具体的変化が明らかにされている。

第6章「神の言葉を伝えるメディア——クルアーングッズからSNSまで」では、神の言葉とされるクルアーンを伝えるメディアの変化や、そうした変化に対するイスラーム知識人

および一般のムスリムの反応についての考察がなされる。中東の国々を訪問すると、実に様々なところでクルアーンに出会う。クルアーンを伝えるメディアのなかでも、近年流布しているクルアーンの章句が記された室内装飾具や、SNSなどに投稿されるクルアーンなどに焦点をあてながら、神とムスリムをつなげるメディアの役割について、またムスリムにとってのクルアーンの意味についての検討が行われている。

第2部「宗教と制度的ネットワーク」には、宗教慈善団体やイスラームに関する国家間組織、加えてイスラーム金融に携わる法学者集団を扱った3つの論考を収録した。

第7章「難民を救うイスラーム的NGO──イスラームに根ざす支え合いの仕組み」では、「慈善を可視化する社会装置」としてのイスラーム的NGOの活動やその社会的機能が論じられる。具体的には、イスラームに内在する互助の論理に関する説明が冒頭で行われたのち、そうした論理に基づいてヨルダンでシリア難民支援の活動を行うイスラーム的NGOの活動が紹介されている。同章では、イスラーム的NGOの展開する草の根活動によって、困窮状態にある難民たちへのセーフティーネットが提供されている事実と、同時にそうした活動を通じて組織が人びとの信頼を獲得していくプロセスが示される。

第8章「イスラーム協力機構──宗教で結びつく国際関係」では、「イスラーム世界の国連」とも呼ばれるイスラーム協力機構（2011年以前の名称はイスラーム諸国会議機構）が取り上げられ、その実態や役割が論じられる。同章では、1969年の組織の設立から現在に至るまでの同組織の歴史的な展開が論じられるとともに、特に2005年の第3回臨時イスラーム首脳会議で承認された「アンマン・メッセージ」を取り上げ、その内容分析や採択へと至る過程の検討を通じて、イスラーム協力機構がイスラーム諸国の合意形成や利害調整の場として一定の機能を果たしていることが指摘されている。

第9章「イスラーム金融を作る──法学者たちの静かなる革命」では、1970年代以降に盛んになるイスラーム金融を

担うイスラーム法学者集団が取り上げられて、彼らが現代の
イスラーム金融の発展にいかに関与してきたのかが論じられ
る。利子の禁止というイスラームの教えを守りながらも、今
日のグローバルスタンダードな従来型金融と競争し、また進
化し続ける金融技術に対応すべく、イスラーム法学者たちが
いかなる知的営為を行っているのかが明らかにされている。
　本書には、以上の9章に加えて、学校における道徳教育の
実態や、放送の発達期に活躍したラジオ知識人の活動、また
インターネットの普及に伴う宗教的権威観の変容、さらには
イスラームの最高学府アズハルの役割についての4つのコラ
ムが収録されている。いずれも各章の内容を補強するもので
ある。

注

1　以下の、米ピュー・リサーチセンターのレポートによる。ただし、同レ
　　ポートではムスリム人口の成長率の鈍化が生じる可能性についても言及
　　がなされている。The Future of World Religions: Population Growth
　　Projections, 2010–2050, *Pew Research Center*, 2 April 2015, https://
　　www.pewforum.org/2015/04/02/religious-projections-2010-2050/,
　　accessed on 20 February 2020.

2　イスラーム復興に関しては、以下の研究が詳しい［大塚 2004; 小杉
　　1994; 小杉 2001; 小杉 2006］。

3　グローバル化とイスラームの関係については以下の研究が詳しい［八木
　　2011］。

4　ヒジャーブやイスラーム・ファッションを含む、イスラームとジェンダーとの関
　　係については、以下の研究が詳しい［後藤 2014; 嶺崎 2015］。

5　ムスリム同胞団に関しては以下の研究が詳しい［横田 2006; 横田
　　2009］。

6　過激かつ急進的手段をもって目的を達成しようとするイスラーム主義者は、
　　特に「ジハード主義者」と呼ばれ、2001年の米同時多発テロ事件の首
　　謀者とされるビン・ラーディンが率いるアル＝カーイダなどによって、その存
　　在が世界的にも知られるようになった。ジハード主義に関しては、以下の

研究が詳しい［保坂 2017］。

7　ヒズブッラーに関しては以下の研究が詳しい［末近 2013］。

8　イラクのイスラーム運動に関しては以下の研究が詳しい［山尾 2011; 山尾 2013］。

9　宗派問題に関する研究としては以下を参照［酒井 2019］。

10　イスラーム政治に関しては、以下を参照［小杉 2006; 末近 2018］。

11　特に、中東のなかでもトルコやエジプトなど、イスラーム主義者らの失政が目立った国々では、こうした「人びとのイスラーム離れ」が説かれることが多い。例えば、以下の記事を参照されたい。「ラップ風の礼拝に賛否両論、若者の宗教離れ阻止狙い――イラク」『AFP』2019年6月16日、https://www.afpbb.com/articles/-/3228371、2020年1月25日閲覧、北川学「そのとき、信仰を捨てた――エジプトの若者に広がる無神論」『朝日新聞（デジタル版）』2019年6月26日、https://www.asahi.com/articles/ASM6M1TRRM6MUHBI00J.html、2020年1月25日閲覧。

12　Hardline Cleric Claims Iran Will Be "De-Islamized" Soon, *Radio Farda,* 24 November 2018, https://en.radiofarda.com/a/hardline-cleric-claims-iran-will-be-de-islamized-soon/29617678.html, accessed on 25 January 2020.

13　レジリエンスという用語をあえて用いずとも、この点に関しては既に中東・イスラームを対象とした研究でこれまでも指摘されてきたことである。同様の指摘は、例えば以下においても行われている［小杉 2018］。

14　イスラームとツーリズムに関する日本語の先駆的研究に関しては、［安田 2016］を参照。

15　写真の記事は、ロンドンに拠点を置く汎アラブ紙「アル・アラブ」の2020年5月12日の記事である。取り上げられているのは、ロンドンに拠点を置くイーマニメーション・スタディオ（Imanimation Studio）――同社のウェブサイトによると、イーマニメーションの名称は、信仰を意味するアラビア語のイーマーンと、アニメーションを掛け合わせた造語だとされる――の「アリーとスマイヤ」という宗教教育動画・アプリである。

16　日本におけるイスラーム経済／金融に関しては、以下が詳しい［長岡 2011; 小杉・長岡 2010］。また実務家の視点も踏まえた研究としては以下も参考になる［吉田 2017］。

参考文献

アンダーソン, ベネディクト. 1997. 『(増補) 想像の共同体——ナショナリズム の起源と流行』白石さや・白石隆訳, NTT出版.

オーウェン, ロジャー. 2015. 『現代中東の国家・権力・政治』山尾大・溝渕 正季訳, 明石書店.

大塚和夫. 2000. 『近代・イスラームの人類学』東京大学出版会.

——. 2004. 『イスラーム主義とは何か』岩波書店.

ケペル, ジル. 1992. 『宗教の復讐』中島ひかる訳, 晶文社.

小杉泰. 1994. 『現代中東とイスラーム政治』昭和堂.

——. 2001. 「脅威か、共存か?——「第三項」からの問い」小杉泰編『(増 補) イスラームに何が起きているか——現代世界とイスラーム復興』平凡 社, 16-41.

——. 2006. 『現代イスラーム世界論』名古屋大学出版会.

——. 2018. 「イスラームの学び方——今日の世界を歩く」小杉泰・黒田賢治・ 二ツ山達朗編『大学生・社会人のためのイスラーム講座』ナカニシヤ出版, 3-18.

小杉泰編. 2001. 『(増補) イスラームに何がおきているか——現代世界とイス ラーム復興』平凡社.

小杉泰・長岡慎介. 2010. 『イスラーム銀行——金融と国際経済』山川出版 社.

後藤絵美. 2014. 『神のためにまとうヴェール——現代エジプトの女性とイスラー ム』中央公論新社.

酒井啓子編. 2019. 『現代中東の宗派問題——政治対立の「宗派化」と「新 冷戦」』晃洋書房.

末近浩太. 2013. 『イスラーム主義と中東政治——レバノン・ヒズブッラーの抵 抗と革命』名古屋大学出版会.

——. 2018. 『イスラーム主義——もう一つの近代を構想する』岩波書店.

長岡慎介. 2011. 『現代イスラーム金融論』名古屋大学出版会.

保坂修司. 2017. 『ジハード主義——アルカイダからイスラーム国へ』岩波書店.

マクルーハン, マーシャル1986. 『グーテンベルクの銀河系——活字人間の形成』 森常治訳, みすず書房.

嶺崎寛子. 2015. 『イスラーム復興とジェンダー——現代エジプト社会を生きる 女性たち』昭和堂.

八木久美子. 2011.『グローバル化とイスラム——エジプトの「俗人」説教師たち』世界思想社.

安田慎. 2016.『イスラミック・ツーリズムの勃興——宗教の観光資源化』ナカニシヤ出版.

山尾大. 2011.『現代イラクのイスラーム主義運動——革命運動から政権党への軌跡』有斐閣.

——. 2013.『紛争と国家建設——戦後イラクの再建をめぐるポリティクス』明石書店.

横田貴之. 2006.『現代エジプトにおけるイスラームと大衆運動』ナカニシヤ出版.

——. 2009.『原理主義の潮流——ムスリム同胞団』山川出版社.

吉田悦章. 2017.『グローバル・イスラーム金融論』ナカニシヤ出版.

Bayat, Asef. 2013. *Life as Politics: How Ordinary People Change the Middle East*. Second edition. Stanford and California: Stanford University Press.

Bunt, Gary R. 2000. *Virtually Islamic: Computer-mediated Communication and Cyber Islamic Environments*. Cardiff: University of Wales Press.

——. 2009. *iMuslims: Rewiring the House of Islam*. Chapel Hill: University of North Carolina Press.

Eisenlohr, Patrick. 2016. Reconsidering Mediatization of Religion: Islamic Televangelism in India, *Media, Culture & Society* 39(6): 869–884.

Hirschkind, Charles. 2006. *The Ethical Soundscape: Cassette Sermons and Islamic Counterpublics*. New York: Columbia University Press.

Hoover, Stewart M. 2006. *Religion in the Media Age*. London: Routledge.

Percy, Martyn. 2001. *The Salt of the Earth: Religious Resilience in a Secular Age*. London: Sheffield Academic Press.

第 1 部

宗教とメディア

第1章

アラビア語による出版技術の発展と
クルアーンの刊本化

竹田敏之

1. はじめに——アラビア語とアラブ世界

　本章では、イスラームの言語としてのアラビア語と、現代アラブ世界の共通語としてのアラビア語に着目し、その言語による印刷・出版の展開を近代から現代を対象に見ていく。

　アラビア語はイスラームの聖典「クルアーン」の言語であり、ムハンマド（570年頃マッカ生まれ）は神の啓示としてその「ことば」を授かり、人々へ伝える使命を担った。啓示は彼が40歳の頃から他界する632年まで、断続的に下ったとされる。言語についていえば、預言者ムハンマドの母語、そして出身のアラビア半島の主要言語もまたアラビア語であった。イスラームの版図は、ムハンマドの時代からわずか200年ほどで、東は中央アジア、西はマグリブからアンダルスまで拡大し、アッバース朝時代（750-1258年）には、アラビア語がこの広域なイスラーム世界の学術語として強化され、イスラーム諸学の基盤を構築した。また各地でイスラーム文明が栄華を極め、後のヨーロッパにおけるルネサンスを支えることになった。

　一方で、アラビア語を主要な使用言語とするアラブ地域の多くは、19世紀からの西欧列強による植民地支配を受け、法体系や教育システム、言語・文化などの面でヨーロッパの影響を強く受けた。その後、20世紀に入り、エジプト（1922年）

を初め、イラク（1932年）、シリア・レバノン（1941年）、ヨルダン（1946年）、リビア（1951年）など各国が独立を果たし、アラビア語を国の言語、すなわち国語ないしは公用語とする国民国家体制が同地域に誕生することになる。20世紀中葉にかけては、そうしたアラブ諸国の連帯性を強化することを目的に「アラブ連盟」（1945年）が設立し、アラブ・ナショナリズムの高揚期（50年代）を経ながら、言語文化的意識を共有するアラブ諸国の総体としての「アラブ世界」が形成された。このような流れを経て、アラビア語は現在20数か国の国語・公用語として、また「アラブ世界」の教育・出版メディアの共通語として機能するに至っている。

　上記を整理すれば、アラビア語はイスラームの普遍語としての側面と、文化的な意味での「アラブ人」の民族語としての側面を有することになる[1]。双方とも同じ「アラビア語」であるが、前者が「神のことば」として不可侵な「聖性」を色濃く帯びているのに対し、後者は宗教よりも、現代的な意味での「アラブ人」という民族性や、それに基づく言語文化的な紐帯を強調する、いわば民族語／現代語として発展してきた。そのため、現代に入ると学校教育が普及し、教本や教科書が数多く編まれる中で、文法学は現代教育に即した形へと再編成され、外来語や新しい専門用語のアラビア語化が推進された。また印刷技術の発展に伴い、文字改革の試みや綴字法の整理なども積極的に進められた[2]。

　特に民族語としてのアラビア語は、地域のムスリム（イスラーム教徒）に限定されることなく、エジプトのコプト教やレバノンのマロン派、イラクのネストリウス派、シリアのギリシア正教、アルメニア正教など各派のキリスト教徒たちの言語としても——イスラームの遺産・文化を排除するものではないが——共有されながら、アラブ文化やアラブ文学を発展させてきた。アラビア語圏における印刷機の導入は、まずこのキリスト教徒のアラブ人によって進められた。

2. アラビア語の展開とアラブ世界における印刷文化

(1) アラブ地域における印刷技術の萌芽

　アジア・アフリカの各地に伝道を展開したキリスト教は、宣教師による現地語の習得、および現地語の教育と辞書や文法書の制作、さらには現地語による聖書や典礼書、伝道文書などの出版と・頒布を得意とした。たとえ文字を持たない辺境の人びとに対してであれ、現地語にローマ字のアルファベットによる文字をあて、文法を体系化し書かれる言語となるよう整備を進めた。さらにその言語の活字を鋳造し、聖書や祈祷書を現地語で印刷してみせた。

　アラブ地域における印刷機使用の嚆矢は1610年（他の説では1584年）、レバノン北西部に位置するトリポリのクズハイヤー修道院で、シリア語とアラビア語による『詩篇』が印刷された［Dabbās *et al.* 2008: 32］。より正確にはこのアラビア語は、シリア文字表記によるアラビア語のことで「カルシューニー」と呼ばれている[3]。同地域の周辺国には、現代に至るまでイエスの母語であるアラム語の話者が少数いるが[4]、その方言の一つであるシリア語とそのシリア文字は典礼言語として教会や宗教書で使われてきた。ローマ・カトリック教会やイエズス会は、当時オスマン朝の一地域であったアラブ州を対象に、アラビア語による宣教と活字の製作および印刷をどのように進めるかということに、強い関心を持っていた。

　同地域で初めてアラビア語が印刷されたのは1706年シリア北部の都市アレッポで、アンティオキア総主教アタナシウス3世（ダッバース）（1647-1724年）の主導により、印刷機がブカレスト（現ルーマニアの首都）から持ち込まれ、『四福音書』『詩篇』の一部のほか12冊の宗教書がアラビア文字によって印刷された［Dabbās *et al.* 2008: 64-65］。印刷史研究では、このアレッポの印刷を、アラブ地域におけるアラビア語による印刷の嚆矢と位置づけている［Kaḥḥāla 2002: 74］。しかし同印刷

所は、アラビア語の活字による組版技術を担う人材に乏しく、誤植の多さからも未だ出版に見合うレベルには達していないとの判断から、6年という短命で閉鎖となってしまった。

　その後、1733年レバノンのベイルート近郊の山岳地域にあるシュワイル印刷所（ユーハンナー・サーイグ修道院に併設）で、アラビア語の活字（鋳金ではなく木製）による印刷が行われた。活版を担ったのは先述のアレッポの印刷所における実技経験を持つアブドゥッラー・ザーヒル（1680-1748年）であった。シュワイル印刷所ではアラビア語による『詩篇』をはじめ祈祷書など30冊ほどが印刷された［Kaḥḥāla 2002: 74］。

　シュワイル印刷所を皮切りに歴史的シリア地域では、イエズス会印刷所（1848年）やカトリック印刷所（1848年）、シャルキーヤ印刷所（1858年）などが石版による印刷を開始した。またイラクでもバグダードのダールッサラーム印刷所（1821年）やモースルのドミニカ修道院印刷所（1856年）などでアラビア語の印刷が進められた。このようなキリスト教徒主体の印刷所の普及によって、キリスト教知識人のブトルス・ブスターニー（1819-83年）による辞書『大言海』や、ナースィーフ・ヤーズィジー（1800-71年）による文法書『文法・形態論』『明解文法』[5]、そしてイエズス会の神父ルイス・シャイフー（1859-1927年）の『アダブの産物（イスファハーニー編『歌の書』の精選集）』『ジャーヒリーヤ時代のアラブ・キリスト文学』などが刊行され、19世紀の文芸復興（ナフダ）期におけるアラビア語による知的生産と古典復権を支えた。

　こうした印刷の推進を可能にした背景には、オスマン朝の社会運営システムがあった。オスマン朝は宗教コミュニティ（共同体）を社会の基本単位としながら、帝国内の言語については公用語を特定の言語（例えばオスマン語）に限定することなく、各地域・コミュニティの言語使用を自由に認めるという、多言語社会を実現していた。すなわち、言語の面で政治的規制がなかったため、地域語による伝道活動と印刷機による宗教書の出版に積極的であったキリスト教徒が、先だって出版の担い手となったのである。一方で帝国内のムスリムは、

印刷機によるクルアーンをはじめとする宗教関連の印刷には慎重な姿勢を示した。

（2）ナフダ期におけるプリントメディアの普及

　ムスリムによる初の活版印刷は、1727年オスマン朝の帝都イスタンブルで行われた。印刷所の開設を主導した人物は、ハンガリーを出自とする改宗ムスリムの外交官イブラヒム・ミュテフェッリカ（1674–1745年）であった。

　ミュテフェッリカは印刷技術の導入がいかに大量出版を可能にしオスマン帝国の知的繁栄に寄与するか、そしてイスラーム遺産の保全に有効に作用するかを自著『活版印刷術に関する書簡』（1726年）で説き、スルタンや大宰相に懇願し続けた。帝国内ではユダヤ教徒やキリスト教徒による印刷所は早い時期から稼働していたが、ムスリムに関しては許可が下りるまで多くの時間を要した。

　オスマン朝下においてイスラームの出版が遅れた理由は諸説ある。活版印刷ではインクを紙に写す際に強い圧力をかける必要があり、神のことばをその様に扱っていいのかという懸念や［'Azab 2007: 181］、ヨーロッパで生成されるインクにイスラームが禁止している成分が含まれているのではないかという疑念、さらには、それまで書写を担ってきた書道家や筆耕者たちが職を失うのではないか、といった憶測さえ話題となった。

　結果として、宗教書を除くということ、出版物の内容について検閲を受けるという一定の条件のもと、法学裁定による許可が下り［Qaddūra 1993: 264］、ようやく1727年に印刷所の開設へと至った。同印刷所はミュテフェッリカによる私設ではなく、政府の運営による公の機関として、正式名も「印刷所」（ダール・ティバーア）と呼ばれた。

　「印刷所」による初の刊行物はアッバース朝の言語学者ジャウハリー（1003年没）[6]による『言葉の冠（スィハーフ）』のトルコ語訳「ヴァンクル辞書」（総ページ1500頁ほど）であった。また、同印刷所からは、『エジプト新史』『タイムール朝

史』といった歴史書や『海洋大全』などの地理書、さらにフランス語による『トルコ語文法』などが刊行された。中でも、ミュテフェッリカが自らの地図製作の経験を発揮し刊行した、キャーティプ・チェレビ（ハーッジ・ハリーファ）（1675年没）著の『世界の鏡』は27点に及ぶ地図を含んだ色彩豊かな地図書で、現代に至るまで高い評価を得ている［Qaddūra 1993: 28］。

　それでも、刊本が大衆化するだけのインパクトをミュテフェッリカの「印刷所」が持てずに、その活動を減速させてしまった大きな要因は、財政難という問題とは別に、やはりイスラームに関連する宗教書を作れなかったことにあるだろう。小杉が明らかにしているように、クルアーンの印刷が遅れた背景には、神の「ことば」を書承し、一字一句丁寧に書写し続けてきた書家の卓越した伝統がイスラーム世界にはあり、活版印刷では到底達することができない高度な写本技術があった［小杉 2009: 101］。ミュテフェッリカの「印刷所」によるアラビア文字の印刷には、ユダヤ教の印刷所やアルメニア人の協力を得て鋳造した活字が用いられているが［cf. 林 2014: 369］、辞書を刊行できるほどであったので全くの駄作とは言えないにしても（「ヴァンクル辞書」のタイトルや各章の見出しは手書き）、書家の描く流麗なアラビア文字には到底勝るものではなかった。イスラーム世界において活版の技術と書家の活動がバランスよく進展し始めるまでには、さらなる時間が必要であった。以下ではエジプトを例にその流れを見てみよう。

(3) ブーラーク印刷所とエジプトにおける印刷文化の展開

　エジプトにおけるアラビア語の印刷機との邂逅は、1798年のナポレオン・ボナパルトによるエジプト遠征（エジプト側からは侵略）であった。175名に及ぶ学術団とともに印刷機を持ち込み、アレクサンドリアとカイロに印刷所を開設し、大衆に向けた勅令や日誌をフランス語とアラビア語とトルコ語（オスマン語）の多言語で頒布し、さらに『ルクマーンの格

言』や『スライマーン・ハラビーの判例』などをアラビア語
で刊行した。圧倒的な軍事力と技術力の差を見せつけられた
エジプトであったが、フランス軍撤退の後、エジプト総督
に就任したムハンマド・アリーは富国強兵政策の一環として、
1821年、国営の印刷所をカイロの開発地区であったブーラー
クに開設した（前身は1819年創設のアフリーヤ印刷所）。これがエ
ジプトの新たな文芸復興の象徴となる「ブーラーク印刷所」
である。

　『イタリア語−アラビア語辞書』(ラファエル・ザフーラ[7]編著)
の刊行（1822年）を皮切りに、ブーラーク印刷所は、西欧の
科学・技術の翻訳書、医学分野の専門用語辞典の他、アラビ
ア語学の辞書だけでも、イブン・マンズールの『アラブの言葉』
(1882-1911年刊)、ラーズィーの『精選スィハーフ（言語の冠）』
(1865年刊) [8]、イブン・スィーダの『類聚抄』(1898-1903年刊)、
フィールーザーバーディーの『言海』(1855年刊) といった古
典期の名著の数々を20世紀初頭までに刊行している。こう
した古典的大書の校訂に従事したのが、イスラームの知の担
い手である学者ウラマーであった。当時活躍した人物には、
「近代化の父」の名で知られ、福沢諭吉と比較されることも
多いエジプトの知識人リファーア・タフターウィー(1801-73年)
や、アラビア語の現代正書法の整備に貢献したイスラーム学
者のナスル・フーリーニー (生年不詳-1874年)、遥かシンキー
トの地（現在のモーリタニア）からやって来た賢才イブン・タ
ラーミード(1829-1904年) [9]、またマルタやイギリス、フランス、
チュニジアやイスタンブルを遍歴しながらボヘミアンな知的
人生を送ったレバノン出身の知識人シドヤーク(1804-87年)
などがいる。19世紀後期から20世紀を迎える頃にはブーラー
ク印刷所は、アラブ古典の校訂や翻訳活動の一大拠点となっ
ていた。

　当時は、シリア出身のイスラーム改革思想家であるラシー
ド・リダー (1865-1935年) が「アラビア文字は母音記号なし
ではいくつもの読み方が可能となってしまう。（中略）諸外国
語では内容から学ぶために本文を読むが、アラビア語の場合

はまず本文を理解するために、（単語の母音の）読み方を考えなければならない[10]。教育の普及には文字と母音記号の仕組み自体を変える必要がある（中略）一方で、母音記号を本文に付すことは組版・印刷のコストを倍増させ、大きな問題となる」と述べているように、母音記号と活版の関係は、当時の知識人にとって最も骨の折れる課題の一つであった［cf. Kashshāsh 2003: 115–117; Lane 2003: 210］。しかし、この種の懸念とは対照的に、当時はまだ印刷技術として煩雑かつ困難であった母音記号が、ブーラーク印刷所による辞書類には、すでに例証や必要な語彙を中心に精緻に付してある事実は注目に値する。この丁寧な校訂と印刷の美しさこそ、ブーラーク版が有する学術的価値と世界的名声、および古書としての高い付加価値の根拠になっている。

　エジプトにおける印刷文化は、ブーラーク印刷所を嚆矢としながら、その発展はシドヤークやリダーのような歴史的シリア出身のアラブ文芸復興（ナフダ）の先達者たちによる知的貢献とも深く関わっている。1860年にシリアのダマスカスを中心にマロン派とドゥルーズ派の内紛が起きたことや、より自由な出版環境を求めたことを背景に、多くのシリア系（シュワーム）知識人が自らの活動拠点をエジプトのカイロへと移した。私設印刷所や書店を開業することで、精力的に新聞や雑誌を刊行し始めたのであった。

　旧来の知識や情報の伝達は、モスクや教会による説教や授業、そして口伝を基本としていたが、印刷機の導入によって大量印刷が可能になったことは、メディアのあり方を根本的に変える革命的出来事であった。ちょうど今でいうところのインターネットやSNSの普及に相当する。知識人の言論は活字となって雑誌・新聞・刊本（書籍）という形で、遠方各地や海外にも届けることが可能になったのである。

　この時期の先駆的な書肆業は、例えばカイロに開設されたリダーによるマナール出版社（1897年）やジュルジー・ザイダーンによるヒラール出版社（1894年）、古典出版で定評のあったムスタファー・バービー・ハラビー出版社（前身は1859年開

業のマイマニーヤ印刷所）[11]やハーンジー書店（1885年）などである [Dāwūd 2007: 77]。ブーラーク印刷所の初代所長ニコラ・マサービキー・バイルーティーもその名の通りレバノンのベイルート出身であるし[12]、またエジプトを代表する日刊紙『アフラーム』紙（1875年創刊）の創設者タクラー兄弟もこの時期にレバノンからやってきたシュワームである。こうしてブーラーク印刷所による校訂・活版印刷の興隆とシリア系知識人による文芸活動の広まりが相まって、ナフダの時代と呼ばれる19世紀から20世紀初頭の出版文化は促進され、アラビア語学やアラブ文学の古典復権への関心が急速に高まった。

　その一方で、出版業界のもう一つの関心事は、いかに美しい活字を造るかということであった。例えば、シドヤークはオスマン朝イスタンブルの印刷所での勤務経験から、そのアラビア文字の活字の劣悪さと印刷の質の低さを非難しているし [竹田 2019: 117]、またアラビア語の近代化に貢献したイブラーヒーム・ヤーズィジー（1847-1906年）は、自らバヤーン印刷所（1897年）を開設するとともに活字の改良を目指し、医師のビシャーラ・ザルザルとともに20ポイントの新たなアラビア文字の活字を鋳造してみせた [Ṣābāt 1958: 232]。また、ブーラーク印刷所も多分に漏れず、設立当初より活字の製作に強い関心を持っていた。

　ムハンマド・アリーは1821年、当時エジプトにいるという噂であった多言語に長けたペルシア人能書家を探し出し、見つけ次第その者をペルシア書体の活字の製作者に任命する、との公示を発令した ['Azab 2007: 117]。それまではイタリアのミラノから輸入した活字やイスタンブル印刷所の活字をモデルに作製した活字3種を使用していたが、満足のいく代物ではなく、エジプトの威信をかけた活字が切望されていたのである。

　ムハンマド・アリーが求めたこの人物とは、当時カイロで活動していたホラーサーン出身（現在のイランの北東部）の書家サングラーフ（1878年没）であった。サングラーフはブーラーク印刷所から正式に任命を受け、実際に活字の基となるナス

フ書体とペルシア書体を書き上げた[13]。ペルシア書体のその後の鋳造作業が遅れたものの、1831年にはブーラーク印刷所独自の新たな活字2書体が完成した。

　さらに、ムハンマド・アリー王朝第5代君主イスマーイール（在位1863–79年）の時代にはエジプト人書家ハサニーと鋳造師アブドゥッラー・ハイラトによる新たなナスフ書体の活字が加えられた。そして1873年のウィーン万国博覧会の際には、新たなマグリブ書体[14]とラテン文字も作製され、ブーラーク印刷所が使用する7種の活字が出揃い、世界に向けて披露された［'Azab 2007: 117–118, 140］（図1）。

　こうした活字の改良と質の向上は、それまで否定的であった聖典クルアーンの印刷にも大きな影響と変革をもたらすことになった。次節では、現代におけるクルアーンの印刷と刊本化の流れを見ていくことにしよう。

図1　ブーラーク印刷所による活字の各種サンプル
（出典）［'Azab 2007: 141］

3. 刊本の時代と聖典クルアーン

(1) ムスハフとは何か──フアード版の誕生

　「ムスハフ」とは書物の形になったクルアーン［小杉 2009:
35］のことで、現代であれば多くは印刷された刊本のクルアー
ンを意味する。もともとクルアーンとは、アラビア語で「読
誦されるもの」または「（声に出して）読誦すること」を意味し、
ムハンマドに下った神の啓示のことばそのものであり、第一
義的には「音」である。啓示はムハンマドが40歳頃（610年）
から他界するまでの23年間続いたが、啓示の初めは「誦め」（ア
ラビア語で「イクラ」）であった。それは「（本を）読む」という
意味ではなく、「声に出して発する」すなわち「誦み上げる」
という意味の動詞の命令形であり、「クルアーン」はその動
名詞または名詞形である。実際、ムハンマドは読み書きをす
る人ではなかったし、クルアーンは免許皆伝の口承を基本に
その音のテクスト（本文）が伝えられてきた。
　クルアーンがこの音のテクストを第一義とするのに対し、
ムスハフは元来、様々な筆記媒体（駱駝の肩甲骨やパピルス、木
片など）に書かれた切れ端（スフフ）が集められたものを意味する。
ちょうど写本の葉の集合体に相当する。ムハンマド（632年
没）の死後、口承で伝えられていた音のテクストと、ごく限
られた直弟子によって書き留められていた文字のテクストの
結集が行われ、650年頃にイスラーム史上初の書かれたクル
アーンの原本（書物／写本としてのクルアーン）が完成した。こ
の一大プロジェクトは第3代正統カリフ・ウスマーン（在位
644-656年）の主導による編纂委員会（ザイド委員会［小杉 2009:
35］）によって進められ[15]、完成した原本はウスマーンの名を
冠して「ウスマーン版ムスハフ」と呼ばれている。さらに
この原本をもとに「ウスマーン版」は5部（4部、7部説などあ
り）作製され、マディーナの他、主要都市（シャーム、クーファ、
バスラ、マッカなど）に届けられた。後述するように、このウ
スマーン版の綴りが現代において極めて大きな意味を持つこ

とになる。

　重厚な写本の歴史を誇るイスラーム世界において、クルアーンは書家によって書写されるものであった。「書道の王」の異名を持つバグダード出身のイブン・バウワーブ（1022年没）や、「ヤークート一門」でその名が知られるヤークート・ムスタアスィミー（1298年没）、オスマン流派の巨匠ハーフィズ・オスマン（1698年没）など、書道の大家たちが残した写本や諸作品の例は、枚挙にいとまがない[16]。印刷技術が導入された後も、同様にクルアーンは一字一句を書家が筆で書き、それを原版にして印刷していた。例えば、エジプトにおけるクルアーンの印刷本の先駆けとされる通称「ムハッリラーティーのムスハフ」（1890年）は、エジプト出身のイスラーム学者リドワーン・ムハッリラーティー（1834–93年）[17]自身の書写による［al-Mukhallilātī 2007: vol.1, 77］。原版の印刷には、細密な原

図2　「ムハッリラーティーのムスハフ」〔左：開扉章、右：表紙〕（1890年、カイロ）（出典）［al-Qur'ān 1890］

画や描画を忠実に摺り出すのに適した石版（リトグラフ）が用いられた。

　一方で、ヨーロッパのクルアーン印刷は、イスラーム世界より400年ほど早い時期から行われていた[18]。それらの多くは、アラビア文字の活字を鋳造しそれを組んで印刷するグーテンベルク以来の活版印刷の流れを汲むものであった。イスラーム世界が、印刷技術が導入されてからも、能書家による書写にこだわり続けたのとは対照的である。こうした写本の伝統的な体裁を重視する保守的な姿勢は、クルアーンの活版印刷に抵抗なく肯定的であったヨーロッパとは常に一線を画していた。

　その理由は2（2）で述べたように、神の「ことば」に強い圧力をかけることへの嫌悪感、ヨーロッパで作られるインクの成分への懐疑心、さらに組版により生じる誤植の多さ、などが一般によく知られている。確かに、このような理由から、オスマン朝バヤズィド2世の治世では「クルアーン印刷の禁止」や「印刷機を使用する者への不信仰断罪」という勅令（1493年）、またムハンマド・アリー治世でも同様の法学裁定が発せられた時期があったのも事実である［'Azab 2007: 181］。しかし、何よりも、書家が織り成す流麗なアラビア文字と正確な書写を前に、ヨーロッパで造られた活字や組版技術が憚る余地などなかったというのが、より実態に基づく社会的見解と現実的な大衆的感情であったと思われる。イスラーム世界では、活字は神の「ことば」を綴るには稚拙過ぎ、荘厳さと美麗さに欠けるという主張が圧倒的に優勢であった。

　こうしたイスラーム世界の伝統が続く中、イギリス支配からエジプトが独立した翌年の1923年、活版印刷による刊本のクルアーンが初めて同国で登場した。これが、時の国王ファード1世（在位1922-36年）の名で知られる「フアード版ムスハフ」である。このフアード版は、アラビア語学のエジプト人専門家と学者ウラマー計5名から成る編纂委員会[19]によって厳しい校閲をクリアした、完成形に近い（すなわち誤謬のほぼない）刊本ムスハフであった。フアード版は伝統的なクルアー

ン写本の基準を満たした最初の刊本［小杉 2008: 65］として現代に至るまで高く評価されている。また特筆すべき点は、付録（あとがき）には編纂委員会の長でエジプトの読誦家としても著名なフサイニー（1865–1939年）[20]による書写［al-Qurʾān 1924: app. nūn］と明記されているが、実際は活字を組んだムスハフということである。この活字の製作者、すなわち活字の書体を書いた人物はフサイニーではなく、エジプト人書家のムハンマド・ジャアファル・ベイ（生年不明–1916年）である[21]。ちなみに、エジプトで目にする通り名の表記の多くはこのムハンマド・ジャアファル・ベイの筆による［Hasan *et al.* 2008: 44］。一方のフサイニーは、フアード版のお手本となるクルアーン写本を書いた人物である。その原版がムハンマド・ジャアファル・ベイの活字を用いた組版や校閲の作業において参照された。そして一連の作業の場となったのが、先に述べたエジプトの近代化を象徴するブーラーク印刷所（別名：アミーリーヤ印刷所）である。フアード版は、活版印刷によって書家のクルアーン写本にひけをとらないアラビア文字の優美さを実現し、刊本ムスハフの形で世に出したという点で極めて画期的であった。

　またフアード版がイスラーム世界で高い評価を受け、広く普及した理由の一つとして、クルアーン写本の原本である「ウスマーン版」の文字の線、すなわち「ウスマーン版」における語句の綴り（ラスム・ウスマーニーと呼ばれる）[22]に忠実な刊本であったことが挙げられる。以下では、この点を探究していくために、一つの手がかりとして日本のクルアーンの翻訳本を取り上げてみよう。

（2）刊本ムスハフにおける綴字の問題

　日本で出版されている代表的なクルアーンの翻訳を見てみると、「エジプト標準版」や「フリューゲル版」と記されている、あるいは両方への言及があることに気が付く。エジプト標準版とは先述の1923年に刊行された「フアード版」に若干の修正を加えた1952年の改訂版のムスハフを指している。

一方、フリューゲル版とは、ドイツの東洋学者グスタフ・フリューゲル（1802-70年）による校訂で、1834年にライプツィヒで出版されたムスハフのことである[23]。

　例えば井筒訳（1957-58年）では、章節番号についてフリューゲル版に依拠したことが明記されている［井筒 1957: 3］[24]。クルアーン英訳の嚆矢であるアービリー（1905-69年）や、ヨーロッパにおけるイスラーム研究の学祖ゴルトツィーハー（1850-1921年）、スコットランドのクルアーン研究者ベル（1876-1952年）など東洋学者の多くが、長いことこのフリューゲル版を用いてきた。

　一方、藤本訳（1970年）[25]では、その凡例で「節番号のつけ方は、いわゆるフリューゲル版（1834年刊）とは相異なるが、最近の学術的著書や論文では、このエジプト版を用いるのが一般的になっている」［藤本 1970: 50］と述べているように、すでにエジプト標準版の普及が学術分野でも進んでいたことが分かる。しかし、井筒訳にしても藤本訳にしても、フリューゲル版とエジプト標準版の違いが章節の数え方の異同[26]にあることへの言及はあるが、両版のもう一つの重要な違いには全く触れられていない。それは、クルアーンのテクスト（本文）の「綴り」という、聖典の本質に関わる違いである。

　フリューゲル版とフアード版（エジプト標準版）を比較した場合、章節番号の相違に加えて明らかなのは、各所に見られる両版の「綴り」の異同である。たとえば、第一章（開扉章）だけでも、「諸世界」を意味するアーラミーン（العلمين/العالمين）、「主宰者」を意味するマーリキ[27]（مٰلك/مالك）、「道」を意味するスィラータ（الصرٰط/الصراط）の綴りで、長母音「アリフ」の有無に違いがある。さらに、例えば「その者たち」や「徴（アーヤ）」や「夜」といった単語を見てみると、フリューゲル版では الليل، ءاية، أولئك、フアード版では اليل، ايه، اولٰئك のように異なっている。また、「反逆」や「天使」や「ウラマー」についても、フリューゲル版では العلماء، الملائكة، معصية、フアード版では العلمٰؤا، الملٰئكة، معصيت と綴られている。どちらかと言えば、フリューゲル版のほうが音と綴りが一致しており、現代的な綴りに

近い[28]。その綴りは、むしろアラビア語を学んだ外国人学習者には規則的に映るだろう。しかし、イスラーム世界が「正しい」とした綴りはフアード版（エジプト標準版）の方であった。

　フリューゲル版がイスラーム世界で受け入れられなかった最大の理由の一つは、ヨーロッパへの敵対心や植民地支配を背景とする負の意識などではなく、この綴りの「正しさ」に深く関係している。クルアーンの綴字の「正しさ」とは、すなわち、書かれたクルアーンの原本である「ウスマーン版」の綴り（ラスム）に忠実であることを意味している。このラスムは、預言者時代から現代に至るまでイスラームの知の伝統が守ってきた「聖なる綴り」でもある[29]。

　こうしたフアード版におけるラスム遵守の傾向は、湾岸諸国の勃興期にサウディアラビアのイニシアチブによって誕生するマディーナ版（1985年）でさらに強まり、刊本ムスハフの普及を背景にイスラーム世界ではクルアーンの綴字の規範への関心も急速に高まっていった。次節では、エジプトからサウディアラビアへとムスハフ印刷の生産的中心地が移行していく流れを見ていくことにしよう。

4. 現代におけるムスハフ印刷の動向

(1) サウディアラビア王立印刷所

　20世紀におけるムスハフの印刷は、前世紀の「ムハッリラーティーのムスハフ」を先駆としつつ、フアード版を皮切りに、若干の綴りの訂正を反映した改訂版（エジプト標準版、1952年）[30]をもって刊本の完成形に至った。ナフダ期より出版文化の中心地であり続けたエジプトは、刊本ムスハフの校閲・出版、そして頒布においても、他国の追随を許さない不動の地位を確立し、常にイスラーム世界を牽引した。さらにエジプトは、ムスタファー・イスマーイール（1905-78年）やフサリー（1917-80年）、ミンシャーウィー（1920-69年）やアブドゥルバー

スィト（1927–88年）などの高名な読誦家を多数輩出し、プリントメディアに続くラジオやカセットという新たなメディア媒体の発展とともに、クルアーンの刊本と音声を同時に普及させる重要な役割を果たした。

　音声では、1960年に「朗誦されるムスハフ（クルアーンの音声）の結集」なる録音事業がエジプトで始まり、アズハル校閲委員会の厳しい審査のもと、読誦規則に忠実な音のテクストが読誦家フサリーの朗誦によって録音された。そして翌年の1961年、イスラーム史上初のムスハフの音声版が完成した［al-Saʿīd 1967: 114］。こうした、ムスハフの印刷と読誦における圧倒的な権威を有していたエジプトであるが、70年代になると湾岸諸国が石油資源を背景に経済的に勃興し、特にサウディアラビアがその潤沢な資金によってイスラーム事業を急速に活性化させたことで、ムスハフの印刷・頒布についても、そのパワーバランスに大きな変化が生じることになった。

　それを決定づけた出来事が、サウディアラビアによる王立印刷所の設立である。1982年にファハド国王の勅令によって、二大聖地の一つであるマディーナにクルアーンに特化した印刷所を設立することが決定し、1984年に竣工した。そして翌年の1985年3月4日、預言者モスクのイマームで読誦家のアリー・フザイフィー（1942年–）ら学者ウラマー14名から成る校閲委員会の校閲を経て、同印刷所によるマディーナ版ムスハフが上梓された［Yūsuf 1992: 115; al-Qurʾān 1995: app. kāf, lām］。

　印刷所はファハド国王の名を冠し「マディーナ・ファハド国王クルアーン印刷所」と命名され[31]、その設立の目的には、クルアーンの刊本の普及と朗誦の録音、クルアーン研究と翻訳事業の推進などが挙げられている［al-ʿAwfī 2000: 73］。一方、設立に至った背景には、急速な経済成長と、印刷技術の進歩への高い関心の他に、巡礼や海外からの出稼ぎを含むサウディアラビアへの人的移動の拡大があった。多様な出自の人びとが国内に急増するとともに、様々な国で印刷されたムスハフが無秩序に流入するという状況が生まれ、そのなかにはラスム遵守に反する刊本が数多く見られた。こうしたことか

ら、サウディアラビア自身のイニシアチブによるムスハフの作製と整備が急務とされたのであった [Yūsuf 1992: 114]。

　実際に印刷所の設立に際し、サウディアラビア宗教省は、国内のモスクにマディーナ版以外のムスハフを置くことを禁止し、さらに王立印刷所以外の国内における商業目的の印刷所からムスハフを刊行することを禁じる決定を下した。同様に、国外からの刊本ムスハフの輸入を禁じることで、サウディアラビア国内におけるムスハフの統一とその徹底が目指された [Yūsuf 1992: 115, 117]。

　一方で、2000年の統計資料によれば、王立印刷所の生産力は年間1000万部（最大その3倍）[al-'Awfī 2000: 131; 小杉 2008: 65]を印刷し世界に無償で頒布するほど極めて高く、瞬く間にイスラーム世界トップを誇る刊本ムスハフの配給元へと発展を遂げた。こうした王立印刷所による大量印刷と各国の学者ウラマーが集う知的共有の場の形成は、イスラーム世界におけるラスム遵守の徹底とコンセンサスの成立にも寄与することになった。その展開の基盤は、1937年および1971年のアズハル機構によるラスム遵守に関する公式ファトワー（法学裁定）であり [al-Sa'īd 1967: 386; Ismā'īl 2001: 81–82]、王立印刷所の設立に際しては、サウディアラビアのウラマー機構が同ファトワーへの支持を表明し、イスラーム世界連盟（通称ラービタ）附属の法学アカデミーもまた同様の見解を示した [Ismā'īl 2001: 85–86]。こうした展開の延長線上にサウディアラビアによる王立印刷所の設立はあり、結果として、マディーナ版の普及と王立印刷所が発信するラスム遵守の法学的見解によって、イスラーム世界ではラスムの規範に準じた刊本ムスハフが現代における絶対的な主流となったのである。

　マディーナ版とフアード版（エジプト標準版）を比較してみると、各版の付録にあるように、双方ともに章節番号はクーファ学派（全6236節）に則っており、綴りはアンダルス出身のラスム学の学祖アブー・アムル・ダーニー（1053年没）とその弟子のイブン・ナジャーフ（1103年没）[32]の学説（双方で異なる場合は後者を多く採用）を継承し、ラスム遵守を徹底して

いる。また母音記号についても、共にアルジェリア出身の
タナスィー（1494年没）の学説[33]に依拠しつつ、スタイル自体
は東方アラブ世界で一般的なハリール方式[34]を採用するなど、
両版は多くの学説や学統を共有している[35]。マディーナ版が
フアード版の諸規範を一つのモデルとしながら成立したこと
に疑いを容れる余地はないだろう。その一方で、マディーナ
版の真新しさといえば、節の終わりが次ページにまたがら
ないという明瞭な頁割りが挙げられる［小杉麻李亜 2014: 380］。
そして、もう一つの大きな転換といえば、マディーナ版では
書家がクルアーンの一字一句すべてを書写するという伝統的
スタイルに回帰したことである。

（2）クルアーン筆写と書家の使命

　アラブ世界では1960年代頃から、それまでの活字を組む
活版印刷ではなく、オフセット（平版）が徐々に普及し始めて
いた。オフセットは石版印刷の発展形でもあるため、各
ページの絵やデザイン・写真などを丸ごと復原的に摺り出す
ことが可能であり、原画の高い再現性と大量印刷を得意とす
る。こうした技術的発展や印刷業界の趨勢が背景にあるにし
ても、フアード版以来の組版に依らず、書家によるクルアー
ン書写の伝統が再び優勢になったことは特筆すべき変化と言
える。すなわちマディーナ版は、クルアーン写本である書道
作品の一枚一枚を原画として印刷する伝統的スタイルを採用
したことになる。その書写の任務を担ったのが、シリア出身
の書家ウスマーン・ターハー（1934年-）であった。
　シリアのアレッポに生まれたウスマーン・ターハーは
1964年にダマスカス大学シャリーア学部を卒業し、在学中
よりダマスカスの書家に師事しながらペルシア書体とスルス
書体を修得した。またバグダードの書家の大家ハーシム・バ
グダーディー（1921-73年）からもスルス書体やナスフ書体を
学び、1973年にはトルコの巨匠ハーミド・アーミディー（ア
イタチュ）（1891-1982年）から免状（イジャーザ）を授与される
など、70年代には書家としての頭角を現していた。

サウディアラビアの王立印刷所は、このウスマーン・ターハーが1970年にシリアで完成させたクルアーン書写の作品[36]を原版として、若干の修正を施しマディーナ版（1985年）を刊行したのであった。マディーナ版が誕生してまもなく、1988年からは同印刷所専属の書家となり、その後、ハフス伝承アースィム読誦流派の第2版[37]、ワルシュ伝承ナーフィウ読誦流派およびカールーン伝承ナーフィウ読誦流派、さらにドゥーリー伝承アブー・アムル読誦流派など、現在に至るまで王立印刷所が刊行する全てのムスハフを書写している。すなわち、年間3000万冊という圧倒的な頒布力を誇るマディーナ版のムスハフは、その一字一句、そして母音記号や読誦記号の一つ一つが書家ウスマーン・ターハーの筆写に由来する。このような数々の功績からウスマーン・ターハーは、イスラーム世界では「書家たちの長」という愛称で知られている[38]。

　こうしてマディーナ版が世界に普及する中、最近の顕著なトレンドとして挙げられるのは、経済力をつけた湾岸諸国や文化的ナショナリズムへの関心が高いマグリブ諸国などが、こぞって自国のムスハフを刊行していることである。そして特筆すべきは、オマーンのムスハフ（1995年）にしても、カタル（2005年）、さらにモロッコ（2010年）やモーリタニア（2012年）の各国ムスハフにしても、活版やフォント（デジタルフォントを含め）による印刷ではなく、各国が精選し採用した書家がその一字一句（クルアーンの初めから最後まで）を筆写する伝統的スタイルに依っている点である。一例を挙げれば、2005年に刊行されたカタルの「ムスハフ・カタル」の書家は、トルコのイスラーム歴史芸術文化研究センター（IRCICA）[39]との共催による公募で選出されたシリア出身の書家ウバイダ・バンキー（1964年-）である。またモロッコは、2010年にムハンマド6世クルアーン印刷所をカサブランカの隣町のムハンマディーヤに完成させ、同国出身の書家7人による筆写の「ムスハフ・ムサッバウ」や、同様にモロッコ出身の書家ムハンマド・ムアッリミーン（1947年-）筆写の「ムスハフ・ムハン

マディー」を国内向けに年間5万部印刷・頒布している[40]。

　こうしてみると、印刷技術の発展は、その歴史が語っているように刊本ムスハフの大量配布と普及に貢献してきたが、一方で書家の役割は廃れることなく、逆に現代においてその重要性と存在感を高めていることが分かる。また同時に、書道とクルアーンの結びつきについても、写本時代と何ら変わることなく堅固なものであり続けているのである。

5. おわりに

　本章では、アラブ世界を対象に近代から現代にかけての印刷技術の発展と、出版文化およびクルアーンの刊本化の展開を概観した。特に東アラブ地域における活版印刷の導入とプリントメディアの変遷を跡付け、歴史的シリアを出自とする知識人やブーラーク印刷所の知的貢献を明らかにした。次に、活版印刷の普及によってクルアーンの刊本（ムスハフ）がいかにして誕生したのか、「フアード版」に焦点を当てながら、「フリューゲル版」との比較も含めてその特徴を考察した。特に「フアード版」の普及の流れで主要な関心事となったのが、クルアーンの綴りの「正しさ」であった。その綴りをイスラームの知の伝統として保持しようとするラスム遵守の傾向は、サウディアラビアによる王立印刷所の設立と刊本ムスハフの大量頒布によって決定的なものとなった。

　ムスハフが各家庭に一冊の時代から各個人が一冊を所有する時代へ。さらに今世紀にはデジタル化が急速に進み、パソコンや携帯、タブレットなどの新たな媒体の登場により、クルアーンのテクストへのアクセスは常時どこにいても容易なものとなった。また、かつては特別な者以外は直接見ることができなかった世界各地の貴重な写本についても、今はクリック一つで閲覧が可能な時代である。しかし、こうした急速な情報技術の進歩の中で、書家によって一字一句丁寧に書写されたクルアーン写本の価値はあらためて評価され、その値も急騰しており、特に湾岸諸国の富裕層や学術機関などの間で

は、近年、写本収集が一種のブームとなっている。こうした伝統遺産への関心は今後さらに高まり、イスラーム世界各地で図書館や博物館といった知的インフラの整備・拡張が一層推進されていくであろう。

注

1　ここで言う文化的な意味での「アラブ人」とは、アラビア半島の「アラブ」を意味する系譜的あるいは血統的な意味での「アラブ人」とは異なる。すなわち、宗教やエスニシティに縛られない「アラビア語を話す者は皆アラブ人である」という定義による「アラブ人」を意味しており、その文化的アラブ性こそ「現代アラブ世界」の紐帯となっている要素である。

2　こうしたアラビア語の諸相と現代化の流れについて、詳しくは［竹田2019］を参照。

3　現代では、「カルシューニー」という用語は、アラビア文字によるシリア語表記の意味でも使われている。

4　シリアのマアルーラやトルコのマルディンなど。

5　アレッポ出身のマロン派司祭ゲルマヌス・ファルハート（1670–1732年）による文典『文法研究』への解説書である。またブトルス・ブスターニーも同様に、同書への解説書『文法研究への灯』を1854年に刊行している。

6　中央アジアのヴァーラーブ（現カザフスタンのオトラル）出身の言語学者。

7　シリア家系をルーツとするエジプト人司祭。パリの東洋言語文化学院（1669年設立）でド・サスィの後任としてアラビア語教育（特にエジプト方言）に携わった。ナポレオンによってエジプト学の拠点としてカイロに設立された「エジプト学術アカデミー」（1798年設立）の唯一のエジプト人メンバーでもあった。

8　先述のジャウハリー編『言語の冠』を要約した古典辞書。

9　その偉才ぶりは、エジプトの文人ターハー・フサイン（1889–1973年）の自伝的小説『日々』の中で「シャイフ・シンキーティー」の名で描かれている。詳しくは［竹田 2019: 204］を参照のこと。

10　つまり、読解の助けとなるから母音記号を考えるのか、それとも母音記号を考えるために読解をするのか、という問題を意味している。

11 バービーとはシリア北部の都市アルバーブ（アレッポ県）に由来するニス バ形容詞、ハラビーとはアレッポに由来するニスバ形容詞。

12 マサービキーは、マスバク（組版所、活字の鋳造所）の複数形からでき たニスバ形容詞。

13 アラビア語（アラビア書道）の書体について詳しくは［竹田2014b: 153–154］を参照。

14 この書体を誰が書いたのかについては、ブーラーク印刷所に関する多く の先行研究でも未だ明らかになっていない。

15 ムハンマドの直弟子ザイド・イブン・サービト（ナッジャール族出身）の他、 クライシュ族出身の高弟3名による委員会。

16 アラビア書道の流派や各時代の書家については、［竹田2014b］を参照 のこと。

17 1834年にカイロで生まれ同地で育ち、アズハル学院にてクルアーン学を専攻、 ラスム学（クルアーンの綴字法）を修得。同分野や読誦学に関する著作 がある。ムハッリラーティーとは語義的には「漬物屋」を意味するニスバ形 容詞。ムスハフはムハッリラーティーがラスム学に則った綴りで自ら書写し、 印刷は同僚で学者のムハンマド・アブー・ザイドが開いた私設印刷所（バヒー ヤ印刷所）で行われた［al-Mukhallilātī 2007: vol.1, 77］。

18 ヨーロッパのクルアーン印刷の嚆矢は16世紀のベネチアで、パガニーニ 印刷所（所有者のアレッサンドロ・パガニーニに由来）で刷られた版（1499 年、1508年、1538年など諸説あり）とされている。その後ドイツで、牧 師のアブラハム・ヒンケルマンによる版（1694年ハンブルク）や、東洋学 者のグスタフ・フリューゲルによる刊本（1834年ライプツィヒ）が出版された。

19 メンバーはエジプトの読誦家フサイニーを委員長とした計5名。その多くが 現代正書法の整備などに貢献した学者陣で、文部省のアラビア語指導 主事で『アラビア語の歴史』の著者としても知られるヒフニー・ナースィフ、 アラビア語アカデミーの創設メンバーの一人アフマド・イスカンダリー、『正 書法論』の著者ムスタファー・イナーニー［竹田2019: 279］、そしてブーラー ク印刷所（アミーリーヤ印刷所）の校閲主任ナスル・アーディリーである。

20 名前はムハンマド・イブン・アリー・イブン・ハラフ・フサイニー。

21 https://arabictype.wordpress.com/2018/09/11/historyofarabictypography/ （2020年6月20日閲覧）「エジプト人書家たちのシャイフ」の異名を持 つムハンマド・ムウニス・ザーダ（生年不明–1900年）の弟子としても知

られる。

22 現代アラビア語の綴りや学校文法で学ぶ綴字法は「イムラー」と呼ばれ、音と綴りが基本的には一致している。一方「ラスム」は、読まない文字が追加されていたり、あるいは逆に読む文字が省略されていたりと、音と綴りが一致しないこともあり、また一見すると例外的な綴りに映る例が多く見られる。詳しい事例については、[竹田 2019: 110] を参照。

23 活字は東洋学者アントン・フォン・ハンマー（1809-1889年）による鋳造 [Dīya 2014: 283]。同地で印刷業に携わっていた出版業者タウフニッツ（1816-95年）の協力を得て出版された。

24 1961年の改訳では、序文で「最近とみにカイロ版の句分け、番号付けが学界に流布しつつある事実にかんがみ、フリューゲル版と喰い違いのある場合にかぎり両方の番号を併記することにした」[井筒 1964（上）: 6] とあり、フアード版（1952年の改訂版）が急速な普及を見せていたことを示唆するものである。

25 初版は中央公論社から「世界の名著」シリーズの一冊として刊行。訳者は、日本におけるアラビア語学の先達、伴康哉と池田修で、編集責任の藤本勝次が訳文全体の調整を行った。

26 この章番号の異同はクルアーン学において「章句の数え方」（アッド・アーイ）と呼ばれる分野で、クーファ学派、バスラ学派、マッカ学派、マディーナ学派などの学説がある。フアード版（エジプト標準版）がクーファ学派を採用しているのに対し、フリューゲル版は根拠が明示されてなく、フリューゲルが参照した複数の写本から自身の判断でアレンジしたものと言われている。なお、現在モロッコ政府によって印刷・頒布されている公式ムスハフ（ワルシュ伝承ナーフィウ読誦流派）は、マディーナ学派を採用している。

27 フアード版はハフス伝承アースィム読誦流派に基づいているため、綴りはウスマーン版のラスムに則りアリフなしだが、読誦は「マーリキ」のみである。

28 フリューゲル版にはラスムを遵守している綴りもある。例えば、サラー（礼拝）やザカート（喜捨）やリバー（利子）といった語彙は、フリューゲル版もワーウの綴りで、الربوا، الزكوة، الصلوة と綴っている。

29 ラスムとその学問に関する史的展開について、詳しくは [竹田 2014a: 57-63] を参照。

30 綴りの訂正について以下の2点。高壁章137節の كلمة は単数形であるが、ラスムではターマルブータではなくターであるため、كلمت に訂

正。またサード章55節と知らせ章22節の السلطين はラスムでは長母音のアリフなしなので السلطن に訂正。いずれも初版の綴りの方が現代的な綴り（イムラー）であり、改訂版ではラスム遵守の徹底が反映されたことになる。

31 250,000平方メートルの敷地に1600人の職員、そのうち500人が校閲に従事、350人が第3装丁、30人が第2装丁、150人が第一装丁を担当。他25の部署に部長、以下スタッフを配置している（1999年のデータで1800人の従業員、うち7割がサウディアラビア人）［Yūsuf 1992: 117, 121-122; al-'Awfī 2000: 132］。

32 ダーニーについては、［竹田 2014a: 62］を参照。イブン・ナジャーフは、バレンシア出身の学者でダーニーの弟子の一人である。主著にラスム学に関する『ヒジャー明解』とダブト論（母音記号に関する学問領域）に特化した『ダブト原論』がある［Ibn Najāḥ 2000; Ibn Najāḥ 2014］。

33 フェズで活躍したアンダルス出身のラスム学者ハッラーズによる『渇きの源泉』のダブト論への解説を行った。ハッラーズについて詳しくは［竹田 2014a: 62-63］を参照。

34 現代アラビア語の母音記号とほぼ同じ。ハリール方式について詳しくは［竹田 2014a: 52-54］を参照。

35 ワクフ（読誦の休止）の位置の数箇所で相違が観察される。

36 ムスハフ刊本の初版は、1970年シリアの宗教省によりダール・シャーミーヤ出版社から刊行。

37 これはウスマーン・ターハーが、再び初めから最後までを新たに自身の筆で一字一句書いた作品を原版に印刷したものである。つまり初版を元にフォントを作製したり、初版のテクストをデジタル化して修正調整したわけではない。第2版では、読みやすさの観点からラームの下にミームが来る合字をなくし、書体から読み間違いが生じる恐れのある、نم قل のヌーンとミームが上下に重なった綴りが改められた。綴りの誤謬の訂正という類は一切ない。

38 経歴については、2020年4月27日にMBC1で放送された「特集：ムスハフの書家、ウスマーン・ターハー」を参考にした。

39 イスラーム協力機構（OIC）傘下の付属機関として1982年に設置された。

40　同印刷所は、読誦流派学の権威であるハミートゥを中心としたモロッコ人学者陣による校閲委員会を設置し、アズハル機構やサウディアラビアの王立印刷所の検閲を受けることなく、ムスハフの刊行を完結する独自の体制を有している。また、刊行はマグリブ地域の学統に従いワルシュ伝承に限定することや、マブスート書体（マグリブ書体の中でも丸みを帯びた書体の一つ）に限定することをその方針として挙げており、マグリブ化の傾向が際立っている。

参照文献

井筒俊彦訳. 1957, 1958.『コーラン（上・中・下）』岩波書店.

――. 1964.『コーラン（上・中・下）』改版. 岩波書店.

小杉麻李亜. 2014.「聖典の刊本とデジタル化」小杉泰・林佳世子編『イスラーム 書物の歴史』名古屋大学出版会, 375–395.

小杉泰. 2008.「クルアーン」『イスラーム世界研究マニュアル』名古屋大学出版会, 62–71.

――. 2009.『『クルアーン』――語りかけるイスラーム（書物誕生：あたらしい古典入門）』岩波書店.

――. 2014.「デジタル時代の古典復興――アラビア語メディアを中心に」小杉泰・林佳世子編『イスラーム 書物の歴史』名古屋大学出版会, 396–420.

竹田敏之. 2014a.「アラビア語正書法の成立」小杉泰・林佳世子編『イスラーム 書物の歴史』名古屋大学出版会, 46–65.

――. 2014b.「アラビア書道の流派と書家たち」小杉泰・林佳世子編『イスラーム 書物の歴史』名古屋大学出版会, 136–156.

――. 2019.『現代アラビア語の発展とアラブ文化の新時代――湾岸諸国・エジプトからモーリタニアまで』ナカニシヤ出版.

林佳世子. 2014.「イスラーム世界と活版印刷」小杉泰・林佳世子編『イスラーム 書物の歴史』名古屋大学出版会, 352–374.

藤本勝次編. 1970.『コーラン（世界の名著15）』藤本勝次・伴康哉・池田修訳, 中央公論社.

Atiyeh, George N. 1995. The Book in the Modern Arab World: The Case of Lebanon and Egypt. In George N. Atiyeh ed., *The Book in the Islamic*

World: the Written Word and Communication in the Middle East.
Albany: State Uninversity of New York Press, pp. 233–253.

Auji, Hala. 2016. *Printing Arab Modernity: Book Culture and the American Press in Nineteenth-century Beirut*. Leiden: Brill.

al-'Awfī, Muḥammad Sālim ibn Shadīd. 2000. *Taṭawwur Kitāba al-Muṣḥaf al-Sharīf wa-Ṭibā'ati-hi wa-'Ināya al-Mamlaka al-'Arabīya al-Su'ūdīya bi-Ṭab'i-hi wa Nashri-hi wa-Tarjama Ma'ānī-hi*. al-Madīna: Mujamma' al-Malik Fahd li-Ṭibā'a al-Muṣḥaf al-Sharīf.

'Azab, Khālid ed. 2007. *Wi'ā' al-Ma'rifa min al-Ḥajar ilā al-Nashr al-Fawrī*. al-Iskandarīya: Maktaba al-Iskandarīya.

Bobzin, Hartmut. 2002. From Venis to Cairo: On the History of Arabic Editions of the Koran (16th- early 20th century), In Eva Hanebutt-Benz, Dagmar Glass, Geoffrey Roper and Theo Smets eds., *Middle Eastern Languages and the Print Revolution: A Cross-Cultural Encounter*. Westhofen: WVA-Verlag Skulima, pp. 151–176.

Dabbās, Anṭwān Qayṣar, and Nakhla Rashshū. 2008. *Tārīkh al-Ṭibā'a al-'Arabīya fī al-Mashriq: al-Baṭriyark Athnāsiyūs al-Thālith Dabbās (1685–1724)*. Bayrūt: Dār al-Nahār.

Dāwūd, al-Sa'īd. 2007. *al-Nashr al-'Ā'ilī fī Miṣr: Dirāsa Ta'ṣīlīya*. al-Qāhira: Dār al-Taysīr.

Dīya, Islām. 2014. Ṭibā'a al-Muṣḥaf bayna Fīlūlūjiyā al-Istishrāq wa 'Ilm al-Qirā'āt: Muwāzana bayna Muṣḥaf Flugel 1834 wa Muṣḥaf al-Azhar 1924, *Majalla al-Tafāhum*. Masqaṭ: Wizāra al-Awqāf, 45, pp. 181–297.

Glass, Dagmar and Geoffrey Roper. The Printing of Arabic Books in the Arab World. In Eva Hanebutt-Benz, Dagmar Glass, Geoffrey Roper and Theo Smets eds., *Middle Eastern Languages and the Print Revolution: A Cross-Cultural Encounter*. Westhofen: WVA-Verlag Skulima, pp. 177–205.

Ḥasan, Tāj al-Sirr and Khālid al-Jallāf. 2008. al-Khaṭṭāṭūn al-Miṣrīyūn: Aṣḥāb Risāla wa Injāzāt Rā'ida. In Bilāl al-Budūr *et al.* eds., *Ḥurūf 'Arabīya*. Dubayy: Nadwa al-Thaqāfa wa al-'Ulūm, 21, pp. 42–57.

Ibn Najāḥ, Abū Dāwūd Sulaymān. 2000. *Mukhtaṣar al-Tabyīn li-Hijā' al-Tanzīl*. Aḥmad Sharshāl ed., 5 vols. al-Madīna: Mujamma' al-Malik Fahd li-Ṭabā'a al-Muṣḥaf al-Sharīf.

——. 2014 *Kitāb Uṣūl al-Ḍabṭ wa Kayfiyati-hi ʿalā Jiha al-Ikhtiṣār*. ed. by Aḥmad Sharshāl ed., 5 vols. al-Madīna: Mujammaʿ al-Malik Fahd li-Ṭabāʿa al-Muṣḥaf al-Sharīf.

Ismāʿīl, Shaʿbān Muḥammad. 2001. *Rasm al-Muṣḥaf wa Ḍabṭ-hu bayna al-Tawqīf wa al-Iṣṭilāḥāt al-Ḥadītha*. al-Qāhira: Dār al-Salām.

Kaḥḥāla, Jūzīf Ilyās. 2002. *ʿAbd Allāh Zākhir: Mubtakir al-Maṭbaʿa al-ʿArabīya*. Ḥalab: Markaz al-Inmāʾ al-Ḥaḍārī.

Kashshāsh, Muḥammad. 2003. Ruʾya Nahḍawīya li-Taṭwīr al-Lugha al-ʿArabīya: Rashīd Riḍā Namūdhājan, *Qirāʾāt fī al-Fikr al-ʿArabī*. Bayrūt: Markaz Dirāsāt al-Waḥda al-ʿArabīya.

Lane, Edward William. 2003. *Account of the Manners and Customs of the Modern Egyptians*. Cairo: The American University in Cairo Press.

al-Mukhallilātī, Riḍwān ibn Muḥammad ibn Sulaymān. 2007. *Irshād al-Qurrāʾ wa al-Kātibīn ilā Maʿrifa Rasm al-Kitāb al-Mubīn*. 2 vols. al-Ismāʿīlīya: Maktaba al-Imām al-Bukhārī.

Qaddūra, Waḥīd. 1993. *Bidāyat al-Ṭibāʿa al-ʿArabīya fī Istānbūl wa Bilād al-Shām*. al-Riyāḍ: Maktaba al-Malik Fahd al-Waṭanīya.

al-Qurʾān. 1890 (1308 A.H.).=*Muṣḥaf al-Mukhallilātī*. al-Qāhira: al-Maṭbaʿa al-Bahīya.

al-Qurʾān. 1924 (1342 A.H.).= *al-Muṣḥaf al-Sharīf*. Būlāq: al-Maṭbaʿa al-Amīrīya; al-Jīza: Maṣlaḥa al-Misāḥa.

al-Qurʾān. 1995 (1416 A.H.).=*Muṣḥaf al-Madīna al-Nabawīya*. al-Madīna: Mujammaʿ al-Malik Fahd li-Ṭibāʿa al-Muṣḥaf al-Sharīf.

Ṣābāt, Khalīl. 1958. *Tārīkh al-Ṭibāʿa fī al-Sharq al-ʿArabī*. al-Qāhira: Dār al-Maʿārif.

al-Saʿīd, Labīb. 1967. *al-Jamʿ al-Ṣawtī al-Awwal li-al-Qurʾān al-karīm aw al-Muṣḥaf al-Murattal: Bawāʿith-hu wa Mukhaṭṭaṭāt-hu*. al-Qāhira: Dār al-Kātib al-ʿArabī.

Yūsuf, Muḥammad Zāyid Muḥammad. 1992. *Tārīkh Kitāba al-Muṣḥaf al-Sharīf*. Judda: Muʾassasa ʿUkāẓ.

第2章

現代イスラーム改革の思想戦略と
『現代のムスリム』誌
20世紀後半のアラブ思想界の深層を読む

黒田彩加

1. はじめに

19世紀末、西洋列強の進出にともなって、アラブやイスラーム諸国の各地で伝統的な社会や教育、法制度が解体されるなか、当時のイスラーム思想の知的硬直性を批判し、宗教と社会の活力を取り戻そうとする改革運動がおこった。イスラーム改革運動の揺籃期に、近代的メディアとして現れたばかりであった雑誌は、改革派の知識人たちの声を、アラブ・イスラーム世界の各地にひろく伝えた。

そのなかでも、ジャマールッディーン・アフガーニーとムハンマド・アブドゥフによる『固き絆』（1884年）、アブドゥフの弟子ラシード・リダーによる『マナール（灯台）』（1898-1935年）が代表的な存在である。特に、イスラーム法の現代的解釈や植民地主義の危機、イスラーム的な政治体制の復興を訴えた『マナール』は、40年近くにわたって刊行され、モロッコからインドネシアに至るまで幅広く読まれた。同誌上で文筆活動を行なった知識人は「マナール派」とも呼ばれ、イスラーム改革運動を代表する存在とみなされている [Adams 1933]。

しかし、19世紀末から20世紀初頭にかけてのイスラーム改革運動が注目を浴びる一方で、その後の展開は一種の「空

白」となっているように見える。

　知識人たちの間で展開したマナール派の改革運動は、一方ではイスラーム色の薄い近代主義へ、もう一方では、大衆的なイスラーム運動へと継承された。

　1935年にリーダーが没した後、『マナール』の刊行をわずかな期間引き継いだのは、当時エジプトで影響力を増しつつあった、ムスリム同胞団というイスラーム団体であった。1928年、イギリスの植民地支配の影響が残るエジプトで誕生したムスリム同胞団は、マナール派の主張を部分的に引き継ぐかたちで、イスラーム的な社会や国家の実現を主張した。また、その前段階として、「よきムスリム」の涵養を重視し、慈善活動や教育・教宣活動を大規模に展開した。徐々に政治志向を強めた結果、時の政権と対立するようになり、1954年のナセル政権下での大規模な弾圧以降、いわゆる「冬の時代」を迎えてしまう。

　その後、エジプトが世俗的な近代国家としての道を歩むなかで、民衆や多くの知識人は、アラブ民族の連帯や社会主義の夢に熱狂した。そこではかつての改革運動が目指していた、イスラーム的な国家や社会の実現といった主張は周縁化されていた。

　しかし、1960年代末にアラブ・ナショナリズムの限界が意識されるようになると、人びとの間で宗教への回帰が起こりはじめた。個人の生活や社会における宗教の役割が見直されるようになり、宗教書やテレビ・ラジオ番組の増加から、イスラーム運動の政治進出、イスラーム銀行の発展に至るまで、エジプトの宗教復興は広範囲に及んだ。言論界では、社会主義や民族主義、世俗主義に対する反省を背景に、時代に合致した新たなイスラーム思想の必要性が取りざたされるようになった。アラブの各国に点在し、様々な思想を持つ知識人たちをつなぐプラットフォームとなることや、第二の『固き絆』、第二の『マナール』となることを目指して、数多くのイスラーム系雑誌が創刊された。

　19世紀末から20世紀初頭にかけて、『マナール』に集った

知識人たちが、宗教と理性の両立、植民地主義への抵抗や、カリフ制が危機を迎えるなかでのイスラーム国家の再興を訴えたとすれば、それから約100年後に言論界に登場した知識人たちは、どのような問題意識のもとに集い、何を訴えたのだろうか。彼らが提唱した思想の背景に、どのような社会が存立していたのか。彼らの訴えは、社会に何か影響を与えたのだろうか。

　以下の節では、1974年から40年以上にわたって刊行され、イスラーム思想の改革を訴えた『現代のムスリム』という雑誌の展開と、それに集った知識人たちの人生を辿ることによって、これらの問いに答えることを試みたい。

2. 宗教復興期の社会を照らす光
——雑誌『現代のムスリム』の40年

(1) ジャマールッディーン・アティーヤと『現代のムスリム』の誕生

　1974年、レバノンの首都ベイルートで『現代のムスリム』という名の雑誌が創刊された。一般読者への知名度は非常に低いが、1970–80年代にかけて、イスラーム思想に関心を持つ知識人の間で読まれた雑誌である。宗教復興を迎えたアラブ諸国で、イスラーム改革思想がどのように広がっていたか、その改革思想が何を目指していたのかを知るのに、格好の材料となっている[1]。

　雑誌の創刊を主導したのは、ジャマールッディーン・アティーヤ（1928-2017年）というエジプト出身の法律家・知識人であった。アティーヤは、10代のうちにムスリム同胞団に加入し、フアード1世大学（現カイロ大学）で法学を学んだ。1954年に、同胞団弾圧の余波をうけてエジプトを去り、のちにスイスで法学博士号を取得した。弁護士業のかたわら、カタル、リビア、ルクセンブルグなど、アラブと欧州にまたがる幅広い地域で活動し、欧州でのイスラーム銀行の創設に

も携わっている。

　イスラーム法学に関する著作も数点出版しており、そのなかで、ムスリムの義務とされるザカート（喜捨）をイスラーム世界の成長基金として整備することや、女性やマイノリティの問題を扱った法学の整備、宗派の垣根を超えた比較法学の必要性などを訴えている。現代におけるイスラーム法や思想、経済のありかたについて、高い意識を持ち、包括的なイスラーム復興のビジョンを掲げていた人物であったことがうかがえる［ʿAṭīya 2000］。

　雑誌創刊の契機は、1947年頃のムスリム同胞団内部にまでさかのぼる。当時の同胞団では、メンバーが急激に増加したことによって、組織の教育活動が手薄になりつつあった。そのような状況下で、大学在学中の青年メンバーのあいだから、同胞団内外やエジプト内外のイスラーム運動の状況に対する学習を行い、イスラーム運動をより良いものとしよう

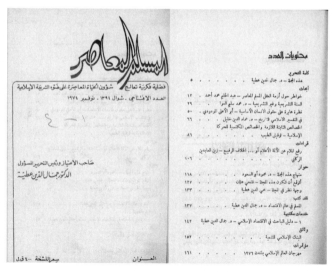

図1　創刊特集号の「現代のムスリム」誌の表紙（左）と目次（右）[2]

とする機運が生まれていた。同胞団の最高指導者であるハサン・バンナーもこの運動に対する支援を表明し、計画は順調に進むかに見えた。しかし、政府との関係悪化に起因するバンナーの暗殺（1949年）や、1950年代半ばから激化した同胞団に対する弾圧の結果、この計画は頓挫し、エジプトを離れたメンバーたちは、離散先で活動を続けることとなった［'Aṭīya 1998: 201–202］。

1970年に大統領に就任したサーダートが、イスラーム勢力に対する宥和策を選択したことで、収監されていたメンバーの釈放が進み、同胞団に対する活動規制も部分的に緩和された。しかし、当時クウェートに在住していたアティーヤをはじめ、1950年代半ばの弾圧を免れた同胞団員の多くは、すでにヨーロッパや湾岸諸国に離散していた。

こうした離散状況下で、「身体が離れていても思想でつながることを可能」にし、「書かれた会議の形式をとる」、メンバー間の新たな交流を可能にする手段として、雑誌『現代のムスリム』の創刊が構想された［'Aṭīya 1999: 27］。

創刊時の編集委員会には、アティーヤのほか、当時既にカタル在住であったイスラーム学者のユースフ・カラダーウィー（1926年-）や、1950年代に同胞団を脱退し、後年は欧米諸国で活躍した穏健派イスラーム思想家のファトヒー・ウスマーン（1928–2010年）らがいた。カラダーウィーやウスマーンも含めて、創刊時の編集委員の大半がエジプト人であり、多くが同胞団への所属歴を有していた。

創刊の前史から見ても、『現代のムスリム』は明らかに同胞団に近い雑誌として出発したが、特定の組織の機関誌という形はとらず、在野の知識人からも、歴史や哲学、イスラーム経済に関する論考が寄せられた。

創刊特集号の巻頭言で、アティーヤは、以下のように述べて、イスラーム法上の未知の問題に対して、個人の知識と理性を動員しながら新たな法解釈を導き出す行為「イジュティハード」の必要性を唱えた。

この雑誌は、イスラーム法学の遺産を新たに提示すること、その思想や原理を、現代の法思想や原理と比較すること、イスラーム法の諸原則と理論を確立することに関心を持っている。しかしこの雑誌は、この範囲にとどまらない、イジュティハードの雑誌である。(中略) この雑誌は、個人と集団、民衆と政府、地方、地域、世界といった様々な基準で〔存在している〕イスラーム運動を導き、その発展に貢献しようとするものである。すなわち、シャリーアの施行のために費やされている努力に対して、研究と評価を行うということである。(中略) 本雑誌は、人びとの生活と社会から離れた、理論的な学術研究に閉じこもることをしない。すなわち、模範的な理論に終始したり、先達のウラマーたちが、各々の時代や環境において生み出した解決策を繰り返したりするのではなく、今日、人びとが直面している諸問題の解決を試みる「現実主義」の原則から出発する [ʿAṭīya 1974: 7-8]。(〔　〕内は引用者による注)

　さらにこの雑誌は、「イスラーム思想とそれ以外の思想・原理・諸潮流の間に対話の橋を架け」、「たとえ手段が異なっていたとしても、アラブとイスラームの復興のために真摯である者たちの間に協力の橋を架ける」ことを目指すものであると自己規定していた [ʿAṭīya 1974: 9]。

(2) イスラーム思想史における『現代のムスリム』学派

　『現代のムスリム』は、2017年に主筆のアティーヤが世を去るまで、40年以上にわたって刊行された[3]。これほどの長期にわたって刊行を続けた民間の雑誌は、アラブの言論界では決して多くない。

　雑誌の草創期には、主にイスラーム法学、イスラーム経済、教育、哲学などに関する、学術色の強い論考が寄せられた。注目したいのは、のちに穏健派イスラーム学者の代表格

として世界的に名声を博すユースフ・カラダーウィーが、イスラーム法学の革新に関する論考だけでなく、市民から寄せられた手紙に応えるかたちで、急進派思想に論駁する文章を残していることである [al-Qaraḍāwī 1977]。急進派を拒絶する改革的なイスラーム思想を希求した、この雑誌の基本的な姿勢がうかがえる。

この雑誌は、創刊号の巻頭言が訴えたように「イスラーム運動に対する理論的貢献」を目指すものとして出発し、特に「イスラーム法の施行」の理論に高い関心を示していた。

この背景には、当時多くのアラブ諸国で、イスラーム運動が勢力を拡大し、社会の後押しも受けながら、従来の西洋法に代わって、民法や、デリケートな内容を含む刑法などの分野でイスラーム法の導入を求めていたという事実がある。エジプトも例外ではなく、サーダート政権下で活動規制を緩和されたムスリム同胞団は、「イスラームこそ解決」というスローガンを掲げ、農村部を中心に培ってきた強い動員力を背景に、議会進出を進めていた。

『現代のムスリム』は、政府や政党から一定の距離を意図的にとろうとした雑誌であった。ムスリム同胞団出身の人物たちによって創刊された雑誌とはいえ、イスラーム運動の特定の派閥を支持することは避け、具体的な政策批判や政治論評を掲載することはほとんどなかった。

イスラーム法の施行問題に関しては、具体的なロードマップを提示しつつも、民主的な環境下での専門家同士や国民的な対話を強く求め、個人の自由への影響を懸念する声を掲載するなど ['Uthmān 1977: 89]、雑誌として慎重な姿勢を保った。明確な政治的ビジョンや専門家の知見を欠くイスラーム運動を、牽制する役割を持っていたと言えるかもしれない。

2000年代以降には、従来雑誌の主流であった法学や経済の研究に加えて、人権やマイノリティの問題、宗教間対話や比較文明論、いわゆる「文明の衝突」やオリエンタリズムをめぐる問題群など、論者の関心が新しい方向性を追求していることが見てとれる。

この雑誌が辿った道程は、20世紀のイスラーム思想史や
イスラーム運動史において、どのように位置づけられるのだ
ろうか。

　この雑誌は、イスラーム思想の活力を現代に取り戻そうと
する点、時代に適合したイスラーム法の再解釈を唱える点で、
20世紀初頭の「マナール派」を模範として仰いでいた。ただし、
当然のことながら、知識人たちのおかれていた環境や、乗り
越えようとしていた「仮想敵」は、両者の間でまったく異なっ
ている。

　『現代のムスリム』の創刊より前にあたる1960年代後半か
ら70年代前半は、イスラーム運動のなかで「急進派」と「穏
健派」の相克がはじまった時期であった。

　「冬の時代」にあったムスリム同胞団では、サイイド・クトゥ
ブ（1906-1966年）という人物が組織のイデオローグとして活
躍した。当時、イスラーム運動に対する容赦ない弾圧を目の
当たりにしていたクトゥブは、この世はイスラーム社会と非
イスラーム社会に二分されること、たとえムスリムが暮らす
国であっても、イスラーム法を否定する法制度が施行されて
いる限り、真のイスラーム社会は存在しえないことを訴えた。
クトゥブ自身は文人であり、明確な武装闘争を唱えることは
なかったが、彼の影響を受けた青年たちは、彼の思想を、社
会や個人の宗教のあり方を断罪し、その打倒のために武装闘
争を肯定する思想として受け止めた。その影響を恐れたナセ
ル政権によるクトゥブの処刑以降、非イスラーム的な体制に
対する武力闘争を目指す若い過激分子が、同胞団の内外で増
加しつつあった。

　一方、急進派思想からの決別を訴える動きも、同時期の組
織の内部で進んでいた［Zollner 2009］。クトゥブの死後に、当
時軟禁状態にあったムスリム同胞団の最高指導者たちによっ
て、急進派思想を否定する『裁判官でなく宣教者』という本
が著され、同胞団員の間で読まれた。また、アティーヤとほ
ぼ同時期にムスリム同胞団に加入したファトヒー・ウスマー
ンが、組織を離れたのち『イスラーム思想と変革』（1961年）

で宗教共存や女性の権利を最初期に論じるなど、急進派に対抗する思想的な兆しは、イスラーム運動がいわば「下火」状態にあった1960年代にも存在していた。

1970年代にサーダート政権下で活動を再開したムスリム同胞団は、改革派から宗教的厳格派まで幅広い層のメンバーを抱え、急進派分子の排除に苦心しつつも、全体としては非暴力的なイスラーム運動として再出発を果たすこととなった。宗教復興の時代を迎えたエジプトでは、同胞団の再出発にともなって浮上した前述のイスラーム法施行問題に加え、宗派対立の増加、急進派・過激派思想の拡大、世俗主義的な知識人や作家に対するテロリズムなど、宗教的不寛容が社会問題となっていた。

これらの問題群に対する解決策が求められるなかで、急進派に対抗する1960年代末の思想潮流を汲みながら、同胞団の内外のイスラーム知識人が協力し、現実に根ざしたイスラーム理解やイジュティハードの必要性を唱えたのが『現代のムスリム』であった。

草創期の『現代のムスリム』に頻繁に寄稿していたある知識人は、自身の著作で、以下のような趣旨の文章を書き残している[4]。

すなわち、アラブ世界では、資本主義と社会主義という二大思潮は失敗に終わった。リベラルな資本主義は、格差の拡大や社会不安をもたらし、一方の社会主義は、革命のために多くの人びとを抑圧した。その両者のオルタナティブとして、新たなイスラーム運動が広がりつつある。イスラーム運動のなかには、社会的現実から離れて、若者たちを麻痺させる勢力も存在しているが、実際にはイスラームの目的を正しく理解する「イスラーム的な中道派潮流」が広がり、支持者を獲得しつつあるのだという［Abū al-Majd 1992: 27–40］。

『現代のムスリム』が体現していたのは、まさにそのような「イスラーム的な中道派潮流」の思想であった。

20世紀初頭に活躍したマナール派は、「彼らが『伝統墨守派』と『欧化主義者』と呼ぶ二つの方向性の中道において、

イスラームと近代性の総合をめざす道」を採った［小杉 2006: 226］。一方、『現代のムスリム』は、社会主義と資本主義のオルタナティブとして、イスラーム運動が社会の新たな推進力たりうることを訴えた。さらに、自らと異なる政治思想や信仰のあり方を認めない急進派思想を戒めつつ、西洋の世俗主義路線ではなく、イスラーム思想の遺産を顧みることによって、アラブとイスラームの復興が可能であることを示そうとした。

　筆者の現地調査では、『現代のムスリム』を通じて、アラブの知識人の間でひとつの思想的な学派が形成されてきたのだという声が聞かれた。約40年という雑誌の刊行期間に加えて、当時の社会が抱えていた問題に、イスラームの観点から解決策をもたらそうとした点は、まさに雑誌『マナール』で活躍した知識人たちの姿を思い起こさせるものである。

(3) 変わりゆく『現代のムスリム』誌

　この雑誌は、編集の拠点をクウェートに置きつつ、アラブ諸国の中で唯一出版許可のとれたベイルートを創刊の地とした。その後、レバノン内戦などの政治的事情によりクウェートへと出版地を移転させたこともあったが、最終的には編集・刊行の拠点ともに、カイロへと移転した。また、財政的事情から、時期は不明だが、紙媒体としてはエジプト国内でのみ刊行されるようになった。

　特筆すべきは、創刊の当初には、編集委員の多くがムスリム同胞団員であったのと対照的に、1990年にエジプトに編集拠点を移したのち、編集委員の顔ぶれが徐々に変化してゆく点である。エジプトの宗教権威であるアズハルの著名なウラマーや、在野のイスラーム知識人たちが、この雑誌の編集に携わるようになった。

　アティーヤはこの雑誌を、特定の思想を支持するものではない「すべての人びとに開かれた、対話のためのプラットフォーム」とうたった［ʿAṭīya 1999: 32］。当時の寄稿者の顔ぶれも、その方針を体現するかのように、アズハル総長を務め

た高名なウラマーから、各国のイスラーム運動の指導者、時には、急進派の源流とも目される思想家とされるサイイド・クトゥブの弟で、その思想の継承・伝播に努めた文筆家のムハンマド・クトゥブまで、多様なものとなっている[5]。雑誌の主流とは異なる思想傾向を持つ著名人に、あえて執筆依頼を行っていた形跡もみてとれる[al-Muslim al-Mu'āṣir 1991: 171]。特定の組織の声を代表しない多声性と非党派性は、この雑誌が長く続いた要因のひとつだろう。

　この雑誌は、刊行部数は限られていたものの、イスラーム復興の指針を探し求める知識人や政治指導者に、幅広く読まれていた。各国の知識人たちがどのようにこの雑誌を受け止めていたか、さまざまな記録が断片的に残されている。

　1990年代前半から同誌の編集委員を務めたターリク・ビシュリー（1933年–）は、民主主義の実現や国民の連帯、文明の独立といった問題に関心を持ち続けてきた、高名な穏健派イスラーム思想家である。エジプトの行政裁判所の判事を勤め上げるかたわら、著作を通じて、イスラーム的な政治理念のもとでも、ムスリムとキリスト教徒が対等な市民であることなどを主張した。エジプト司法界のゴッドファーザーとも呼ばれ、清廉な人格によって、イスラーム主義のみならず、リベラル勢力からもひろく尊敬を集めている。

　彼は、当時創刊されたばかりであったこの雑誌を書店で見つけ、一読者として雑誌に出会った頃のことを、生き生きとした言葉で回想している[al-Bishrī 2004: 358]。

　　この数年間、私はイスラーム思想における革新者たちと、イスラーム思想における革新について――すなわち、彼らはどこにいて何を語っているのかを探し求めていた。政治・社会思想において、私の〔これまで信じていた〕原理をいったん放棄し、再び検討し、まだ〔これからも〕正しい指針たりうるものと、そうでないものを精査していた〔時期であった〕[al-Bishrī 2004: 358]。

エジプトのイスラーム知識人として名声を博すビシュリー
は、実は1960年代には、左派系の雑誌で執筆活動を行って
いた。しかし、第三次中東戦争（1967年）の敗戦を契機として、
1970年代初頭に、一時的に執筆活動を停止していた。

　1967年6月に、エジプトがイスラエルの奇襲をうけてわず
か6日間で大敗を喫した事実は、アラブの大義を信じていた
民衆だけでなく、アラブ・ナショナリズムと社会主義に傾倒
していた多くの知識人を失望や困惑に陥らせた。ビシュリー
が雑誌に出会った時期には、かつて社会主義や民族主義に共
感していた知識人たちが、エジプトにおけるイスラーム的な
アイデンティティの重要性を評価する方向に思想転換する現
象が起こっていた。

　　　私は模索のさなかにあった。西洋政治思想だけでは、私
　　たちの政治・社会運動を導くのに十分でも適切でもない
　　こと、〔真に〕有益な思想は、〔私たちの〕文明から生まれ
　　たもの、〔私たちの〕歴史の文脈から生まれたものでなけ
　　ればならないことを、私は理解しつつあった。（中略）し
　　かし、最終的な疑問が残っていた。〔不変の〕原理と〔時
　　代の変化によらない〕不変の要素に依拠した革新の運動と
　　は、どこにあるのだろうか？　私たちの生の現実のなか
　　で、それはどこにあるのか？　それは、どのような土台
　　の上に形成され、どのような問題をめぐって展開するの
　　か？　[al-Bishrī 2004: 358–359]（傍点は引用者による）

　探し求めていた答えを『現代のムスリム』のなかに見つけ
たビシュリーは、毎晩仕事を終えたのち、翌朝まで雑誌を読
み続け、眠れない日々を過ごすこととなったと語る [al-Bishrī
2004: 359]。彼はそれまでの著書を改訂したのち、1980年代
以降、穏健なイスラーム知識人としての名声を博してゆく。
ついには、自身が出会った『現代のムスリム』の編集委員
会にも加わり、エジプトの言論界の代表的な存在となる。法
律家としては、ムバーラク政権下での軍事法廷の乱用に抵抗

する姿勢を示したほか、2011年のエジプト革命後に暫定憲法の制定に関わるなど、民主化プロセスへの貢献を果たした。『現代のムスリム』は、そのような彼の声を他の知識人に届ける媒体としても、他の知識人の考えにふれる知的な源泉としても、大きな意味を持ったに違いない。

そのほかに、イランの宗教学術都市であるゴムでは、同誌の精神に共鳴したイラク出身のシーア派知識人が、『現代のイスラーム問題』という雑誌を創刊している [Rifāʿī 1999]。スンナ派の雑誌がシーア派の知識人にも読まれていたことは興味深い。

また、チュニジアのイスラーム政党であるナフダ党の指導者で、イスラーム思想家としても有名なラーシド・ガンヌーシーも、この雑誌から影響を受けていたようだ。創刊時には既に30代を迎え、チュニジアのイスラーム運動に深く関わっていたガンヌーシーは、この雑誌を通じて、同胞団出身の文筆家から、同胞団に対する批判者まで、様々な人物の考えにふれ、同誌に寄稿していた穏健派のイスラーム思想家からも思想的な影響を受けたという [Tamimi 2001: 42]。

社会の要請に合致したイスラーム思想の必要性と、すべての思想に開かれた対話路線をうたう『現代のムスリム』誌の方針は、宗派や政治団体の枠組みを超えて、エジプトのみならず、アラブ諸国のイスラーム知識人にひろく受け入れられた。

3. イスラーム思想と社会運動が交わるとき ——『現代のムスリム』に集った知識人たち

(1)『現代のムスリム』からエジプト政治・社会改革へ

雑誌の創刊者であるアティーヤは、生涯にわたって学術活動を貫き、政治の表舞台に立つことはなかった。一方、雑誌に関わった論客のなかには、テレビ番組や新聞、シンポジウムなどの場で宗教と社会のありかたに関する発言を重ね、公共の知識人としての地位を確立するとともに、社会運動や政

治改革への関わりを見せた者もいた。

　そのなかには、雑誌の創刊当時には30代前半の若手論客であり、のちに編集委員となるサリーム・アウワー（1942年–）や、前述のターリク・ビシュリーのような知識人が含まれる。どちらもムスリム同胞団への所属歴をもたない在野の知識人であり、法律家としての職業的背景ゆえに、西洋法とイスラーム法の比較法学や、西洋の自由主義思想にも通暁していた。イスラーム法と西洋法の関係、イスラーム諸国における宗教的マイノリティの権利、イスラーム的観点から見た市民権理論、宗教的価値と表現の自由のバランスなど、宗教復興以降のアラブ諸国で顕在化した問題群に関する発言を続けた。

　どのような政治・社会思想も、構想する人物が社会に生きる一市民である以上、それが生まれた社会と切って切り離すことはできない。彼らが名声を博したのは、権威主義体制下のエジプトに生きる者として、イスラーム思想の改革だけでなく、社会や政治の改革が必要であること、イスラームの政治理念が民主主義や市民社会論と深く結びついていることを訴えたからでもあった。

　たとえば前述のビシュリーは、2011年の革命後に政治の表舞台に登場しただけでなく、革命以前のエジプトの民主化運動にも関わっている。いくつかの報告によれば、エジプトの非効率的な国家運営や専制を批判した彼の声明「私はあなたがたに不服従を呼びかける」（2004年10月）は、宗教や政治思想の差異を超えて広がった、ムバーラクの大統領五選に抗議する社会運動「キファーヤ（もう十分）運動」が本格化する契機となった［El-Ghobashy 2005; Hirschkind 2012］。キファーヤ運動の支持者の間では、彼を次代の大統領候補に推そうとする暗黙の合意すら生まれていたという［Howeidy 2005］。

　また、たとえ政治思想が異なっていたとしても、アラブ民族やイスラームを復興するための連帯は可能だとする『現代のムスリム』の精神は、イスラーム運動のより若い世代にも受け継がれている。

　ムスリム同胞団の内部では、アブドゥルムンイム・アブー・

フトゥーフ（1951年-）や、アブー・アラー・マーディー（1958年-）など、1970年代に学生運動に参加した経験を持つ「70年世代」と呼ばれるメンバーたちが、90年代に存在感を高めた。彼らは大学在学中、学生運動を通じてイデオロギーの異なる学生たちとの協力や利害調整の経験を持ち、卒業後には、職能組合に所属して、組織内の選挙活動で同様の経験を重ねてきた。その結果として、思想的に異なる派閥・勢力との協働を意識した、「開かれた」思想を持つようになっていた。

　この「70年世代」と呼ばれる若手の政治指導者たちは、『現代のムスリム』にも関わったアウワーやビシュリーをはじめとする知識人から、思想的な影響も受けていた。

　1996年に、この「70年世代」の代表格であるマーディーが、穏健なイスラームの理念に基づく新政党「ワサト（中道）党」の設立を試みたことがあった。エジプトの政治改革のみならず、マイノリティの権利や市民権を強調した政党プログラムを策定し、キリスト教徒の知識人を幹部に迎えたことが注目を浴びた。また、イスラームに関しても、その法的な側面よりも、イスラームが持つ善の理念や文明的な価値を強調した［横田 2006: 127］。さらに同党の幹部たちは、NGO「文化と対話のためのエジプト」を設立し、世俗リベラル系の人物やキリスト教徒の著名人も巻き込みながら、表現と信仰の自由、多元主義といった理念を促進する文化活動を展開した［横田 2006: 132-133］。

　彼らの出身母体であったムスリム同胞団そのものは、組織内部で深刻な世代間対立を抱え、保守派が強い権力を握ることも多かったために、このような対話路線からはやや遅れをとることになった。同胞団は、議会政治に進出して以来、西洋法中心のエジプトの現行法への不満を背景に、イスラーム法の施行を根強く求めてきた。宗教的マイノリティの地位などに関して、保守派の指導者たちからしばしば不用意な発言が飛び出したために、宗教国家の実現可能性を懸念するリベラル勢力や国内のキリスト教徒からは、根強い反発を受けてきた。

それでも、2000年代になると、同胞団の政治的主張も、イスラーム法の即時導入ではなく、イスラーム的な諸原則に準拠した民主国家の実現を求める方向へと変容していった。また、組織の社会活動部門を通じて民衆の要求を吸い上げるなかで、選挙戦で訴えるマニフェストも、イスラーム的な諸原則の枠内で、現実的かつ世俗的な経済・社会政策に近づいていった［横田 2015: 36-38］。2000年代の同胞団の政治綱領を確認すると、「中道的なイスラーム理解」といった表現を多用するほかに、立憲主義や法治主義の徹底などの政治改革も、強く求めるようになっている。

　このように、2000年代後半のムバーラク政権下で、野党勢力に対する抑圧が強まるなかで、司法改革、立憲主義、民主主義の実現などが、イスラーム主義勢力と、世俗リベラルや左派を含む非イスラーム主義勢力の共通の目標として掲げられるようになったのだ。

　そうした党派を超える思想空間を体現するかのように、イスラーム運動の若手世代のあいだで『マナール・ジャディード（新しい灯台）』（1998-2015年頃まで刊行確認）という雑誌も生まれている。『現代のムスリム』に比べると学術色が薄く、政治色が強い。年長世代から若手まで幅広い年代のイスラーム運動の担い手や知識人、世俗リベラル系の活動家、キリスト教徒、アラブ・ナショナリストらが、宗教や社会のあるべき姿や、社会運動のありかたをめぐって討論を交わしている様子がみてとれる。

　イスラームの枠組みに準拠しつつも、リベラルと重なり合う政治的な中道を模索していく点、共通の政治的目標にむけた合意形成や対話を通じて、差異を包含しつつも、派閥を乗り越える総合的な政治潮流へと成長していく点が、エジプトのイスラーム的な言論の大きな特徴であった。

（2）むすびにかえて
――『現代のムスリム』学派とエジプト革命のその後
　これまで『現代のムスリム』という雑誌や、それに関わっ

た知識人たちの動き、そうした思想運動と交わってきたエジプトの政治・社会運動の展開を紹介してきた。そこで垣間見えるのは、現代的価値観に合致したイスラーム理解の裾野の拡大を試みるとともに、党派を超えた対話を提唱することによって、共通の思想空間を作り出してゆこうとする、イスラーム知識人や政治活動家たちの動きである。そして、雑誌という多声性を反映しうる媒体が、そうした思想空間の創出のうえで不可欠ともいえる役割を果たしたことは疑いを容れないであろう。

　2000年代末に、あるアメリカの人類学者が、『現代のムスリム』の編集委員を務める文筆家ファフミー・フワイディーに面会した際の発言として紹介していることばが印象的である。フワイディーによれば、「1980年代や90年代には、世俗化の脅威が、イスラーム運動の支持者たちのもっとも重大な関心事であった」が、現在では、「ムバーラク体制の排除、国家による日常化した暴力の終焉、自由で公正な選挙制度の創出」の方が重要な課題になったという［Hirschkind 2012: 51–52］。

　2011年初頭の民主化デモによって、約30年にわたるムバーラク体制が崩壊したエジプト革命は、イスラーム主義者とリベラル勢力がともに掲げてきた目標が実現した瞬間だったと言えるだろう。

　エジプト革命は、独裁政権なきあとの新たな国づくりにむけて、宗教と国家の関係、イスラーム的な価値観に基づく市民権の実現、宗教的マイノリティの権利、現代におけるイスラーム法のあり方など、『現代のムスリム』でも取り上げられてきた問題群に関する議論を深める機会となるはずであった。

　しかし実際には、動員力を基盤に選挙で勝利したムスリム同胞団による強引な政権運営や、宗教的厳格派の政治進出のなかで、公共空間での思想的討議は軽視され、かえってイスラーム主義勢力と世俗リベラル勢力の対立が深まる結果となった。異なる派閥間での利害調整に長けた、若手の世俗リベラル勢力やイスラーム運動の活動家たちは、数の力がもの

を言う議会政治のなかでは周縁化されていた。

　ムバーラク政権下では存在していたはずの、様々な政治勢力間の協力関係が、エジプト革命とその後の政治プロセスによって崩壊するという皮肉な結果となったのである。

　結果的に、革命後に誕生したムスリム同胞団政権は、民衆からの支持も失い、短命に終わった。2013年に軍事政権が復活して以降は、ムスリム同胞団をはじめとするイスラーム主義勢力のみならず、民主主義や政治的自由を求める世俗リベラル系の活動家たちも対象にした、全面的な政治的抑圧が続いている。そのような状況下で、宗教と社会が今後どのようにあるべきか、思想や政治の派閥を超えた討議を行うことは、非常に難しくなっている。

　『現代のムスリム』の創刊者であるアティーヤは2017年にこの世を去り、雑誌に関わった知識人の多くも、すでに高齢になっている。彼らの次世代にあたる1950–60年代生まれの論客や活動家のなかには、収監を経験している者や、ムバーラク時代より一層厳しい政治的抑圧を生きることの困難さゆえに、すでにエジプトを離れた者もいる。

　今後のイスラーム思想が、社会と結びついてどのように展開していくか、エジプトから新たな展望が得られるまでには長い時間がかかるかもしれない。

謝辞

　雑誌『現代のムスリム』に関するエジプトでの調査にあたって、多くの方々のご協力をいただきました。特に、インタビューに応じてくださるとともに、貴重な資料を提供してくださった、モフガ・マシュフール氏（『現代のムスリム』社）、ハーリド・ムハンマド氏（同）、ナディア・ムスタファー氏（文明研究センター）に深く感謝を申し上げます。

注

1　クレマーによれば、この雑誌は『イジュティハード』（1988-2002年頃まで刊行確認）、『ムスタクバル・アラビー（アラブの将来）』（1978年-）（以上、ベイルート）、『15/21』（チュニス、1982-1990年）、『フィクル（思想）』（カイロ）、『インサーン（人間）』（パリ）などの雑誌と並んで、当時の啓蒙的なイスラーム知識人の寄稿先のひとつであったという［Krämer 1993］。これらの改革派の知識人は、時代の趨勢を反映して「イスラーム左派」とも呼ばれていた。

2　2012年にエジプト大統領選にも出馬した著名なイスラーム思想家であるサリーム・アウワーのイスラーム法学に関する論考や、南アジアのイスラーム復興の論客であるアブルアラー・マウドゥーディーの論考「基本的人権に関する見解」の翻訳が紹介されている。創刊当初は、論文、編者の言葉、批評、インタビュー、書評、各国のイスラーム関係の会議の抄録、書籍・研究情報紹介などのセクションからなる、計180-250頁程度の雑誌であった。

3　『現代のムスリム』は、アティーヤの死後の追悼特集号（第163号）ののち、3年以上にわたって、新たな号の刊行を停止していた。なお、本論文の脱稿後である2020年夏に、編集委員を一新した体制のもと、第164号が刊行された。

4　この文章を書き残した知識人であるカマール・アブー・マジュドと、彼の文筆活動に関しては、［黒田 2019］の第2章で扱っている。

5　ムハンマド・クトゥブの寄稿は、彼とアティーヤの個人的な面会を契機として実現した。クトゥブは、当初『現代のムスリム』のことを、ナセル政権下で処刑された兄サイイドのために生まれた雑誌として認識していたようである。この提案にアティーヤは驚愕し、『現代のムスリム』は特定の思想を信奉しない、対話のために開かれた雑誌であるとして、雑誌の方針にかなう範囲で彼の参加を受け入れたという［ʿAṭīya 1999: 32］。なお、サウディアラビアで教鞭をとり、ビン・ラーディンを教えたことでも知られるムハンマド・クトゥブだが、研究史的には、2001年の同時多発テロを契機として、著名かつ多作なイスラーム系文筆家としての評価から、急進派のイデオローグとしての立場を強調する方向に潮目が変わったという［Nishino 2015］。この点に鑑みれば、『現代のムスリム』が、ムハンマド・クトゥブの講義録を掲載した事実も、さほど不思議ではないだろう。

参考文献

黒田彩加. 2019.『イスラーム中道派の構想力——現代エジプトの社会・政治
変動のなかで』ナカニシヤ出版.

小杉泰. 2003.「未来を紡ぐ糸——新しい時代のイスラーム思想」小松久男・
小杉泰編『現代イスラーム思想と政治運動』イスラーム地域研究叢書2.
東京大学出版会, 275–312.

——. 2006.『現代イスラーム世界論』名古屋大学出版会.

末近浩太. 2018.『イスラーム主義——もう一つの近代を構想する』岩波書店.

横田貴之. 2006.『現代エジプトにおけるイスラームと大衆運動』ナカニシヤ出版.

——. 2015.「エジプト・ムスリム同胞団の「挫折」——ポスト・イスラーム主
義からの一考察」『国際安全保障』43(3): 29–42.

Abaza, Mona. 1999. Tanwir and Islamization: Rethinking the Struggle over
Intellectual Inclusion in Egypt, *Cairo Papers in Social Science* 22(4):
85–118.

Abū al-Majd, Aḥmad Kamāl. 1992. *Ru'ya Islāmīya Mu'āṣira: I'lān Mabādi'.*
Second edition. Cairo: Dār al-Shurūq.

Adams, Charles C. 1933. *Islam and Modernism in Egypt*. London: Oxford
University Press.

Altman, Israel. 1979. Islamic Legislation in Egypt in the 1970s, *Asian and
African Studies* 13(3): 199–219.

Al-Arian, Abdullah. 2014. *Answering the Call: Popular Islamic Activism in
Sadat's Egypt*. New York: Oxford University Press.

'Aṭīya, Jamāl al-Dīn. 1974. Hādhihi al-Majalla, *al-Muslim al-Mu'āṣir*, the
inaugural issue, 5–11.

——. 1998. Ṣafḥa min Tārīkh: al-Khiṭāb al-Islāmī al-Mu'āṣir: Hawāmish
wa Iḍāfāt 'alā Ma'ālim al-Khiṭāb al-Islāmī al-Jadīd li-l-Duktūr 'Abd al-
Wahhāb al-Masīrī, *al-Muslim al-Mu'āṣir* 87: 199–210.

——. 1999. Qiṣṣa al-Majalla, *al-Muslim al-Mu'āṣir* 93/94: 27–33.

——. 2000. al-Tajdīd al-Fiqhī al-Manshūd. In Jamāl al-Dīn 'Aṭīya and Wahba
al-Zuḥaylī, *Tajdīd al-Fiqh al-Islāmī*. Damascus: Dār al-Dimashq, pp.
10–150.

Baker, Raymond William. 2003. *Islam Without Fear: Egypt and the New
Islamists*. Cambridge: Harvard University Press.

al-Bishrī, Ṭāriq. 2004. Fī Bad' al-Ṣuḥba al-Fikrīya li-l-Shaykh Yūsuf al-Qaraḍāwī. In Abd al-'Azīm al-Dīb ed. *Yūsuf al-Qaraḍāwī: Kalimāt fī Takrīmi-hi wa Buḥūth fī Fikri-hi wa Fiqhi-hi Muhdāt ilay-hi bi-Munāsaba Bulūghi-hi al-Sab'īn*. vol.1. Cairo: Dār al-Salām, pp. 356–370.

El-Ghobashy, Mona. 2005. Egypt Looks Ahead to Portentous Year, *Middle East Report Online* February 2, http://www.merip.org/mero/mero020205, accessed on 11 May 2018

Hamzawy, Amr. 2004. Exploring Theoretical and Programmatic Changes in Contemporary Islamist Discourse: The Journal of al-Manar al-Jadid. In Azza Karam ed., *Transnational Political Islam: Religion, Ideology and Power* (Critical studies on Islam). London: Pluto Press, pp. 120–146.

Hirschkind, Charles. 2012. Beyond Secular and Religious: An Intellectual Genealogy of Tahrir Square, *American Ethnologist* 39(1): 49–53.

Howeidy, Amira. 2005. Voices of Dissent, *Al-Ahram Weekly Online* 748 (June 23–29), http://weekly.ahram.org.eg/Archive/2005/748/eg9.htm, accessed on 15 September 2018.

'Izzat, Hiba Ra'ūf. 2015. *al-Khayāl al-Siyāsī li-l-Islāmīyīn*. Beirut: al-Shabaka al-'Arabīya li-Abḥāth wa al-Nashr.

Krämer, Gudrun. 1993. Islamist Notions of Democracy, *Middle East Report* 183: 2–8.

Kuroda, Ayaka. 2018. Rethinking Discussions on "Islam" and "State" in Contemporary Egypt: The Community-Based Approach in Ṭāriq al-Bishrī's Political and Legal Thought, *Annals of Japan Association for Middle East Studies* 34(2): 1–34.

Majalla al-Manār al-Jadīd

Majalla al-Muslim al-Mu'āṣir (https://almuslimalmuaser.org/）

Majalla Qaḍāyā Islāmīya Mu'āṣira

al-Muslim al-Mu'āṣir. 1991. Nadwa Majalla al-Muslim al-Mu'āṣir, *al-Muslim al-Mu'āṣir* 61: 169–172.

Nishino, Masami. 2015. Muhammad Qutb's Islamist Thought: A Missing Link between Sayyid Qutb and al-Qaeda?, *NIDS Journal of Defense and Security* 16: 113–145.

Osman, Ghada. 2011. *A Journey in Islamic Thought: The Life of Fathi Osman*.

London: I.B. Tauris.

al-Qaraḍāwī, Yūsuf. 1977. Ẓāhira al-Ghuluww fī al-Takfīr, *al-Muslim al-Mu'āṣir* 9: 53–89.

al-Rifā'ī, 'Abd al-Jabbār. 1999. Min Jamāl al-Dīn al-Afghānī ilā Jamāl al-Dīn 'Aṭīya: al-'Urwa al-Uthqā Tastafīqu fī al-Muslim al-Mu'āṣir, *al-Muslim al-Mu'āṣir* 93/94: 49–55.

Rock-Singer, Aaron. 2018. *Practicing Islam in Egypt: Print Media and Islamic Revival.* Cambridge: Cambridge University Press.

Tamimi, Azzam. 2001. *Rachid Ghannouchi: A Democrat within Islamism.* Oxford: Oxford University Press.

'Uthmān, Fatḥī. 1977. Qabla Taqnīn Aḥkām al-Sharī'a al-Islāmīya, *al-Muslim al-Mu'āṣir* 11: 77–89.

コラム1　教科書と宗教教育

内田直義

　ムスタファとヒシャームの2人が友人宅への道を急いでいる。途中、ムスタファは通りにある石を片付け、視覚障害の男性が道を渡るのを手伝い、道に迷った少女を目的地まで案内した。結果として遅刻しそうになってしまい、ヒシャームはムスタファの行いについて「君がやることじゃない」と咎めた。しかし、ムスタファは預言者ムハンマドの言行録を引き、道中の人助けは「僕たちみんながすべきことだ」と応じる。さらに2人は友人宅でも議論を始める。家の扉は開いているが勝手に入っても良いかどうか。そこで今度はヒシャームがクルアーンを引く。「これ、信仰者よ、お前たち自分の家以外の家にはいる時は、必ず許しを求め、その家の者に挨拶してからにしなくてはいけない。」(クルアーン 第24章27-29節) という箇所を示しながら、訪問時のマナーを解説する。以上はエジプトの小学生用の宗教教科書の一部である。

　従来からエジプトの学校教育では、「宗教」の授業が重視されてきた。現行の教育法では、初等・中等教育の目的の1つに「神と祖国に対して敬虔なエジプト人を養成すること」を掲げている。「宗教教育はすべての教育段階で基本科目」とされ、「最低50%の点数の取得」が課される。「宗教」の授業は必修であり、試験結果が振るわない児童・生徒は留年もあり得る。ムスリムとキリスト教徒で教材、教師、教室などは分離されているが、教育省監督の下、全国で統一されたそれぞれの教科書を用いる。

　ムスリム向け教科書の場合、礼拝や断食といった宗教的義務や預言者の事績を把握する他、読誦や唱歌によって内容を体感的に学び、クルアーンの章句を正確に暗記することが重視される。クルアーンの原義は「朗誦されるもの」であり、

宗教儀礼のためにも章句を正しく唱えられることが必要となる。その点で、イスラームの宗教教科書は、学習後に子どもたちがムスリムの一員として適切に振る舞えるような教材の構成となっている。同時に、エジプトの「宗教」の授業は日本で学ぶような道徳教育の側面も強く見られる。近年の教科書には、環境保護や女性の権利など、今日の国際的な人権意識とも重なる価値観に言及する箇所も見られる。さらに、過去の宗教教科書を分析した研究によれば、教科書の内容は国家が過激派のイスラーム主義者の主張に対抗し、人びとからの支持を勝ち取ろうとする意図が現れているという。教育省は国家への忠誠、他者のための寛容、家族の重要性、スンナ派イスラームの卓越性を「エジプト文化に深く根差した理想」とみなし、子どもたちの人格形成を行おうとしていると指摘される [Toronto and Eissa 2007: 27]。これらの理念は学習目標と結びつけられ続けており、「唱歌：私の国」、「寛容と協力」といった章が現在でも学ばれている。

　近年のエジプトでは、大規模な教育改革が進められている。そこでは、学年によって「宗教」の授業が廃止になるという噂すら流れ、教育省大臣がこれを強く否定する場面もあった。また、あるメディアはムスリムとキリスト教徒のカリキュラムを統一する動きについて報じている。報道によれば、宗教寄進省が新教科書制定の計画を発表し、大臣はこの教科書で宗教的な差異が罪ではないことを教え、「価値を共有し、互いの信仰と考え方をいかに尊重するかを知る新世代」を育む第一歩にしなくてはならないと訴えたという。一方で、一部の保守派はこの計画が学校教育から「『宗教』という授業そのものを排除すること」につながると非難した。そして、「すべての価値と理想が含まれた宗教の本がすでにあるなかで、新しい教科書は本当に必要なのか」と反発した。また、ムスリムとキリスト教徒が宗教教育を共に受ける計画があることについては、各宗教が持つ特性を、無視すべきではないと批判している [The Arab Weekly 13 May 2018]。宗教的な題材を用いながら、信仰に関わりなく共有できる価値観や、多文化共

生のための市民性教育に重点を置いて学びを進めるのか、もしくは、特定宗派の子弟に対象を絞って、まずは良いムスリムや良いキリスト教徒の育成を優先するか。エジプトの一般学校において、「宗教」の授業は価値教育の中心となる科目である。それゆえになおさら、聖典からどのような道徳的メッセージを選び、誰に伝えることがふさわしいのか、そこでは宗教的知識はどう位置づけられるべきなのかといった論点が盛んに議論される。混乱のなか、学校で宗教を教えることの意味を模索する人びとの葛藤が垣間見られる。

参考文献

井筒俊彦訳. 1964.『コーラン（上・中・下）』改版. 岩波書店.

Toronto, James A. and Muhammad S. Eissa 2007. Egypt: Promoting Tolerance, Defending Against Islamism. In Eleanor Abdella Doumato and Gregory Starret eds., *Teaching Islam: Textbooks and Religion in the Middle East.* Colorado: Lynne Rienner Publishers, 27–51.

Teaching Morals to Egyptian Students across Religious Divide, *The Arab Weekly*, 13 May 2018, https://thearabweekly.com/teaching-morals-egyptian-students-across-religious-divide, accessed on 8 November 2019.

写真1　エジプトの私立学校
（出典）筆者撮影

第 3 章

白い異邦人から真正なる巡礼者へ

ヨハン・ルードヴィヒ・ブルクハルトの
マッカ巡礼経験をめぐる再帰性と超越性

安田慎

1. はじめに

　イスラームにおける旅行文化は、時代や地域、社会階層を超えてさまざまな人びとに愛されるなかで受け継がれている。それを示すように、ムスリムたちの旅行経験の数々は、「リフラ (riḥla)」や「サファル・ナーメ (safar-nāme)」、「セヤーハト・ナーメ (seyahat-nâme)」という名称の旅行記としてまとめられ、世間のなかで語り継がれてきた。これらの旅行記は「経路や目的地の地理、自然、物産、人間、生活様式、歴史や伝説、驚異などに関する情報」［杉田 2002: 1052］が多数含まれるために、後世の歴史学者たちにとっても貴重な史料となってきた［守川 2007; 家島 2017; 大稔 2018］。さらに、旅行者の旅行先の事物への「まなざし」は、イスラーム世界における旅行文化や情報ネットワーク、社会的心性の一端を解明する、重要な記述として捉えられてきた[1]。時代や地域、社会階層を超えて多種多様な人びとによって書き記されてきた旅行記の伝統は、ムスリムたちが織り成してきた知的関心や知識の集積を鮮やかに示している。

　イスラームの宗教実践の中核を占めるマッカ巡礼や各地の聖地への参詣は、その重要度と相まって多くの旅行記を生み出してきた。それだけでなく、現代社会においても人

びとの間で読み継がれ、その形式を踏まえて新たな旅行記が生み出され続けている点に特徴がある。実際、現代においても「ハッジローグ (hajjlogue)」や「ハッジ・トラベローグ (hajj travelogue)」をはじめとした訪問記として消費されている。近年ではインターネットやSNS (ソーシャル・ネットワーキング・サービス)、関連アプリケーションの発展にともなって、ブログや写真、ビデオやライブ中継といった手段を用いて自らの旅行体験を語る人びとが増えている。その姿に、手段は変わりながらも継続する旅行記の伝統を見て取ることができる。この巡礼・参詣旅行記を読み継ぐ伝統は、イスラーム復興とも密接な関わりを持ちながら、世界各地のムスリム社会のなかに息づいてきたと捉えることができる。

　これらの旅行記群は単なる歴史資料としての文脈を超えて、地域・時代を超えてある特定集団の公共性を担保する役割を果たしてきた点にも特徴がある [Pratt 1992; Hulme and Young 2002; 青木 2016]。一連の研究のなかでは、旅行記が実用的ガイドブックとして人びとに利用されることで、共有されるべき情報や、体験すべき内容を規定していく点が示されている。巡礼記・参詣記でも家島彦一が指摘するように、「各々の時代に両聖地 (マッカとマディーナ) に至る旅程や巡礼大祭 (マウスィム) における儀式の手順と所作、カアバ神殿と聖モスク、預言者ムハンマドと彼の家族に関わる伝承や至聖所・聖跡などの内容を含む、いわゆる『巡礼と旅行の案内書』が数多く著された」[家島 2017: 86-87]。これらの旅行記は、それを利用する読者が経験すべき旅行の雛型として、つねに参照され、模倣され、引用される準拠点ともなってきた [家島 1983; 家島 2017]。

　上述の研究上の指摘を踏まえるのであれば、巡礼記や参詣記は、経験された共通の集合的記憶を通じて、宗教コミュニティの公共性を喚起するコミュニケーション・メディアとして機能してきたと捉えることができる [家島 1983; 家島 2017; Eickelmann and Piscatori 1990; Mols and Buitelaar 2015; Tagliacozzo and Toorawa 2016; Rahimi and Eshaghi 2019]。一連の旅行記がムスリム

社会のなかで繰り返し参照され、模倣され、引用されることを通じて、巡礼や参詣の伝統が後世に引き継がれてきたと言える。

　この巡礼・参詣旅行記の伝統のなかでも、ヨハン・ルードヴィヒ・ブルクハルト（Johann Ludwig Bruckhardt、1784–1817年）が書き記したマッカ巡礼旅行記は、異彩を放つ作品である。1814年から翌年にかけて行ったマッカ巡礼経験を書き記した巡礼旅行記『アラビア半島の旅（*Travels in Arabia*）』（1829年初版）は、ムスリム／非ムスリムの区分を超越して読み継がれている［Wolfe 2015(1997)］。その点、他のムスリム巡礼者や西洋人旅行者たちによって著された巡礼旅行記とは、異なった文脈のなかに位置づけられる作品である。議論を先取りするのであれば、西洋諸国で勃興した商業出版としての「トラベル・ライティング（travel writing）」の文脈のなかで、ブルクハルトの著作は西洋社会に向けて「未開の地」の内実を明らかにした著作として知られてきた［Pratt 1992; Hulme and Young 2002］。しかしそれに留まらず、ムスリムにとっても彼の著作は参照すべき、模範的な巡礼経験として捉えられてきた点に特色がある［Wolfe 2015(1997); Rahimi and Eshaghi 2019］。

　以上の議論を踏まえたうえで、本章ではヨハン・ルードヴィヒ・ブルクハルトのマッカ巡礼経験が、人びとの間でいかに受容されてきたのか、彼の巡礼旅行記を取り上げながら論じていきたい。特に、彼の巡礼旅行記が、19世紀当時のいかなる社会的文脈のなかで生まれてきたのか、そして彼の巡礼旅行記が20世紀以降の人びとの間で、いかなる社会的文脈のなかで布置されてきたのかを考えていきたい。

2. トラベル・ライティングの黎明と
　　ヨハン・ルードヴィヒ・ブルクハルト

（1）19世紀西洋社会のなかのトラベル・ライティング

　西洋諸国において19世紀は、ロマン主義の広まりのなかで、

オリエンタリズム（東方趣味）が一つのブームとなった時代と見做せる。特に、東洋世界の過去や現代に対するさまざまな興味関心が一般大衆の間で広まり、探検旅行や観光を通じて、異世界やフロンティアの内実に迫ろうとする動きが出てきた［Pratt 1992; Hulme and Young 2002］。そのなかで、ニジェール川流域を中心とする西アフリカ地域は、未開の地の一つとして西洋社会のなかで認識されてきた。史料や伝聞によってトンブクトゥやジェンネ、ガオの繁栄についての情報は入りつつも、その内実は不明な点が多かった。そこで、1788年にジョセフ・バンクス[2]（Sir Joseph Banks、1743–1820年）が中心となり、西アフリカ内陸部の探索を目的としたアフリカ協会[3]（African Association）が設立される。ジョセフ・バンクスはロンドンを中心とするイギリス各地の貴族や実業家、有志家たちの寄付や出資を募ることで、西アフリカへの探検隊を組織してきた［Kryza 2006］。しかし、探検隊の多くが現地住民たちによる妨害や殺害の憂い目に会い、思うような成果はあがっていなかった。そのなかで、マンゴ・パーク[4]（Mungo Park、1771–1806年）が行った1795年から1797年にかけてのニジェール川流域の探検事業は、彼が無事にイギリスに帰還して当地に関するさまざまな情報をもたらした点で、画期的な成果としてイギリス社会のなかで取り上げられた。それを示すように、マンゴ・パークが1799年に『アフリカ奥地の旅（*Travels in the Interior Districts of Africa*）』を出版すると、彼とアフリカ協会の事業はイギリス社会を中心に西洋諸国においてよく知られた存在となり、その後の旅行文学のモデルとして参照されるようになる[5]［Sim 1969; Pratt 1992］。

　しかし、マンゴ・パークは1805年からの2度目のニジェール川流域の探検事業の中途で死亡すると、アフリカ協会の事業自体が暗礁に乗り上げた。協会としての事業を継続するための新たな人員を必要としたアフリカ協会は、ニジェール川流域のルートではなく、リビアのフェザーン[6]（Fezzan）地方からサハラ砂漠を超えてトンブクトゥに至るルートの探検事業を、ヨハン・ルードヴィヒ・ブルクハルトに依頼する［Sim

1969: 20, 46]。ここに、ブルクハルトの中東探検が始まること
になる。

（2）ヨハン・ルードヴィヒ・ブルクハルトとマッカ巡礼

　ヨハン・ルードヴィヒ・ブルクハルトは1784年にスイス
のローザンヌにおいて、バーゼル出身の裕福な絹商人の家系
の一員として生まれた[7][Sim 1969: 29–47]。ドイツのライプツィ
ヒ大学とゲッティンゲンのゲオルグ・アウグスト大学で化学
を学んだ後に、自然学者のヨハン・フリードリヒ・ブルーメ
ンバッハ[8]（Johann Friedrich Blumenbach、1752–1840年）の紹介で、
イギリスのアフリカ協会のジョセフ・バンクスのいるロンド
ンへと渡る［Sim 1969: 20, 46]。そこでアフリカ協会の事業で
ある、トンブクトゥへの探検とニジェール川の水源を発見す
る探検プロジェクトに参画することになる［Sim 1960: 20, 46]。
その際、ブルクハルトはムスリムとして受け入れられればア
フリカでの旅は容易になると考え、1807年からアラビア語
とイスラーム諸学の習得を目指してケンブリッジ大学におい
て勉強を行う［Sim 1969: 20, 46]。1809年には現在のシリアの
アレッポへと渡り、当地のアラビア語と風習の習得を通じて、
「イブラーヒーム・イブン・アブドゥッラー・アル＝バラカー
ト（Shaykh Ibrāhīm ibn ʿAbd Allāh al-Barakāt）」という名前のムスリ
ムとして過ごすようになる［Sim 1969: 49–50]。

図表1　ヨハン・ルードヴィヒ・ブルクハルト
肖像画（出典）［Piller *et al.* 2017: 75]

アレッポでは勉学の他に、周囲への小旅行やベドウィン家庭への滞在を通じて当地の風習を習得していく一方で、写本の購入とイギリスへの郵送、アレッポの西洋人コミュニティや現地の有力者とのネットワークの構築に時間を費やしていく[9]。特に、周辺諸国への旅行では「貧しいアラブ人」としてレバノンやパレスチナ、トランスヨルダン地方を旅し、パルミラやアパメア、バアルベック、ベカー高原の古代遺跡に関する情報を西洋社会にもたらしている [Sim 1969: 77-102]。

　1812年にはカイロへと移動するが、その道中にペトラ遺跡を「発見」してアフリカ協会に報告し、後世の考古学的成果や観光資源への道を開いていくことになる [Sim 1969: 122-148]。1812年9月にカイロに到着するものの、ワッハーブ運動の影響でマグレブ地方からの巡礼団の派遣が止まっていたために[10]、1813年にはナイル河上流域のヌビア地方へと調査旅行に出かける[11] [Sim 1969: 178]。

　その後、ナイル河上流域においても西部方面へのマッカ巡礼団が暫く往来しないことを知ると、マッカ巡礼を果たして「ムスリム」としての社会的地位の上昇を目指して、マッカ巡礼を行うことを決意する [Sim 1969: 211]。1814年7月18日に紅海をわたってジェッダに到着すると、エジプト総督のムハンマド・アリーの側近たちのネットワークを駆使して旅行におけるさまざまな便宜を図ってもらう [Sim 1969: 270-283]。その後、ワッハーブ運動討伐のためにアラビア半島に滞在していたムハンマド・アリーを訪ねてターイフへと赴き、そこから1814年9月9日にマッカへの入域を果たしている。

　マッカでラマダーンとイード・アル＝フィトルを迎え、ウムラや周囲への参詣を積極的に行って当地に関わる地誌や風習を詳細に記録している。1814年11月には一連のハッジ儀礼に参加し、1月中旬にシリアの巡礼団とともにマディーナへと向かう。マディーナでも預言者ムハンマド廟をはじめ聖地への参詣を繰り返し、当地の状況を事細かに調べ上げていった。1815年4月には紅海沿岸部のヤンブーに向けてマディーナを経ち、当地でスエズ行の船に乗り込んで同年の6月下旬

にカイロへと帰還を果たした。

　カイロ帰還後はマグレブ地方に向かう巡礼団の到着を待ちながら、ヌビア地方やアラビア半島の旅行記の編纂作業や関連記事の執筆を行っていく［Sim 1969: 368］。しかし、1817年10月に赤痢にかかると、そのままカイロで亡くなり、「死者の街」の一角のムスリム墓地にムスリムとして埋葬された。

　彼の死後、アフリカ協会は彼の功績をたたえて出版されていなかった一連の旅行記を順次出版していく。『ヌビア地方の旅（*Travels in Nubia*）』（1819年）、『シリアと聖地の旅（*Travels in Syria and the Holy Land*）』（1822年）、『アラビア半島の旅（*Travels in Arabia*）』（1829年）といった彼が行った旅行記の他に、『アラビア語の諺と、近代エジプトにおける風習と慣習（*Arabic Proverbs, or the Manners and Customs of the Modern Egyptians*）』（1830年）、『ベドウィンとワッハーブ派に関する覚書（*Notes on the Bedouins and Wahabys*）』（1831年）が出版されている［Sim 1969］。

3. ブルクハルトのマッカ巡礼旅行と 『アラビア半島の旅』を見る

（1）ブルクハルトのアラビア半島の旅

　ここではブルクハルトのマッカ巡礼を記した『アラビア半島の旅』の内容を概観しながら、彼の旅行行程と旅行記の特徴を見ていくことにしたい。

　マッカへの巡礼旅行は、ブルクハルトの本来の旅行目的ではなかったが、ムスリムとしての知識や社会的地位を確固たるものにし、アフリカでの探検を容易なものにするために、ヌビア地方から紅海に抜けるルートに歩を進めることになる[12]［Bruckhardt 1829a; Sim 1969］。1814年7月18日に航路でジェッダに上陸すると、そこでジェッダやアラビア半島に関する情報を収集するために暫く当地に滞在する。アラビア半島における活動を支援してもらうために、カイロの商人の紹介状を携えてジェッダの商人を訪ねるものの相手にされず、

カイロで構築してきたムハンマド・アリーの側近たちの人脈を最大限に活用することになる［Burckhardt 1829a: 6-11］。実際、ブルクハルトはムハンマド・アリーやその側近たちとの人脈をカイロに滞在している際に作り上げ、側近たちとは密接な交流を続けていた点が窺える[13]［Sim 1969: 270-283］。その結果、ブルクハルトはジェッダの徴税官から資金や物品の便宜を図ってもらい、その後ターイフへと出立する。ブルクハルトはその後も手紙のやり取りや物品、金銭の入手のために、マッカやターイフからジェッダに頻繁に往来していた点を記載している[14]。

　途中ターイフに寄り、ムハンマド・アリーに謁見した後は、マッカ入域の許可を経て9月9日にマッカに入る［Burckhardt 1829a: 169-170］。その後、11月下旬にはシリアとエジプトからの巡礼団が到着し、ムハンマド・アリーの一団や周囲のベドウィンに混ざって、一連の巡礼儀礼を行う［Burckhardt 1829b: 32-87］。巡礼儀礼を終えた後に、ブルクハルトはシリアの巡礼団とともにマディーナに向かおうとするが、ワッハーブ派によるマッカ周辺での襲撃が相次いでいた点や、護衛するベドウィンの到着が遅れた関係で、1815年1月15日にマッカを出立している［Burckhardt 1829b: 78-84］。それまでの間、マッカ市内と周辺部の参詣地をめぐり、当地の宗教施設や地誌の情報を網羅的に集めている。

　シリアの巡礼団とともにマッカを出立し、1815年1月28日にマディーナに到着すると、そこで預言者ムハンマド廟や周囲の参詣地をめぐって情報収集に努めている。特に、預言者ムハンマド廟には足しげく通い、当地に関する情報を事細かに記すとともに、宗教ガイド[15]の実態について書き記している［Burckhardt 1829b: 138-205］。旅の疲れからかマディーナでは高熱や病気で寝込みがちになるが、4月頃に回復している［Burckhardt 1829b: 138］。その後4月21日に紅海沿岸のヤンブーへと出立すると、5月15日には船でヤンブーを出立して紅海を抜け、1815年6月24日にはカイロへと無事に到着し、アラビア半島の巡礼の旅を終えるとともに、彼の巡礼旅行記の筆

も置かれる。

(2) トラベル・ライティングの黎明と『アラビア半島の旅』

　以上の行程で行われたブルクハルトの巡礼旅行は、関連情報が適宜アフリカ協会に送られるとともに、帰還後にカイロで巡礼旅行記がまとまった形で編纂され、彼の死後の1829年に出版されている。その出版過程で、アフリカ協会の意向や、イギリス社会が知りたい内容が強く旅行記の記載内容に反映されてきた。具体的には、彼の旅行中の個人的交流や諸々の感想よりも、アラビア半島諸都市の地誌や歴史、政治情勢、習俗といった、ガイドブック的な実用的情報がコンパクトにまとめられている点に特徴がある[16]。

　実際、ブルクハルトは短期間で多くの情報を網羅的に集積するために、滞在した諸都市で現地のエージェントやインフォーマントたちを数多く雇って、情報収集を行っている[17][Bruckhardt 1829a, 1829b]。その点、旅行経験をする時から既に、実用的ガイドブックとしての客観的情報の収集と記載に主眼を置いていたとみなすことができる[18]。

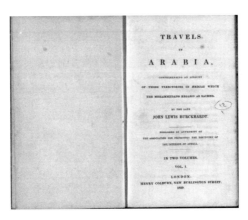

図表2　『アラビア半島の旅』初版表紙
（出典）［Burckhardt 1829a］

さらに、イギリスにおいて出版されたブルクハルトの巡礼旅行記は、著者と読者の間に横たわる非対称的な関係のなかで書かれている点にも特徴がある。すなわち、現地でイスラーム的知識や習慣を会得した著者が、イスラーム的知識や経験を有しない西洋社会の読者に対して中東社会についてレクチャーする、という構図である。そのため、他のムスリム巡礼者の著者によるマッカ巡礼記に見られる神への賛辞や宗教的言説や引用がほとんど見られないとともに、自らのイスラームとしての宗教的正当性や巡礼経験の真正性を示すための言説も極力排されている。

　その結果、旅行中にさまざまなイスラーム的な宗教経験をしてきたにもかかわらず、ブルクハルトは巡礼旅行記のなかでは、イスラーム的文脈のなかで自らの巡礼経験を語ることはない。その点で、ブルクハルトのマッカ巡礼記は、西洋社会が培ってきた中東やイスラームに関する言説や興味関心を踏まえ、個人的体験を既存のオリエンタリズムの文脈のなかに位置づけてきたと捉えることができる。実際、彼がこれまで西洋社会のなかで積み重ねてきた中東に関わるイメージ群を活用しながら、西洋社会のなかではヴェールに包まれてきたマッカやマディーナといったアラビア半島の実情を明らかにしている点が、記述スタイルの基本的論調となってきた。

　しかし、ブルクハルト自身がイスラーム的知識や経験を有していなかったわけではない。それを示すように、注意深く巡礼旅行記を読んでいくと、ブルクハルトは自らが経験した内容について、実は先行する巡礼旅行記や地誌、法学書といった関連する著作を丹念に読み込みながら意味づけを行っている。そこでは旅行記の記述としては宗教的言説を排除しながらも、経験の段階では積極的にイスラーム的文脈のなかに自らを位置づけ、巡礼経験の宗教的正当性を担保しようとしている[19]。その背景には、ブルクハルト自身がシリアやエジプトにおいて事前にさまざまなイスラーム関連のアラビア語文献を読み込んでいたのに加え、アラビア半島から帰還したあともカイロで関連文献を読み漁り、自らの巡礼経験を先

行する経験たちと接合している点が見て取れる[20] [Bruckhardt 1829a: xvii-xix]。さらに、ブルクハルト自身が失われていたイブン・バットゥータの旅行記の要約版をカイロで発見し、論評を寄せている点からも、彼自身がマッカ巡礼旅行記を網羅的に収集し、その内容を読み込んでいた姿がうかがえる[21] [Wolfe 2015(1997): 54]。

　これらのブルクハルトが行ってきた一連の検証作業は、ブルクハルトの旅行経験の真正性を西洋社会に対して示す根拠となるだけでなく、彼の「ムスリム」としての巡礼経験の宗教的正当性を担保する論拠ともなっていく。この状況が、後世の人びとによるブルクハルトの多様な評価にもつながっていくことになる。

4. 白い異邦人から真正なるムスリムへ

(1) ブルクハルトの巡礼経験をめぐる再帰性と 「旅行経験の先駆者」

　ブルクハルトのマッカ巡礼旅行記は、当初は中東諸国をめぐってきた後続の西洋人探検家たちによって繰り返し参照される実用的ガイドブックとしての役割を果たしてきた。他方で、ムスリムたちの間でも繰り返し参照され、引用されていくなかで、次第にムスリムが準拠すべき巡礼経験の模範として機能していくようになる。

　ブルクハルトの巡礼経験を最も忠実に模倣した人物として、リチャード・フランシス・バートン[22] (Richard Francis Burton、1821-90年) の名前をあげることができる。イギリスの王立地理協会から援助を受けて実施した1853年のマッカ巡礼旅行では、準備段階からブルクハルトの『アラビア半島の旅』の内容を忠実に模倣し、訪問する場所や記載情報の正誤や修正について、彼の著作での内容を取り上げながら一つ一つ指摘している [安田 2019]。特に、マッカに関する記述は全面的にブルクハルトの情報や記述を引用する形で記している [Wolfe

2015(1997): 193]。しかし、バートンはブルクハルトが旅行先の地誌や歴史、風習といった情報の記載を重視したのに対して、より個人的な巡礼経験や、現地の人びととの交流内容を記載することで、ブルクハルトの旅行経験との差別化を図っている。

バートン以降のマッカ訪問者たちも、ブルクハルトの巡礼旅行記や後続の旅行記を参照しながら、自分たち独自の旅行経験を確立していく [Wolfe 2015(1997)]。特に、オリエンタリストたちによって繰り返し参照され、引用されていくなかで、彼の著作や巡礼経験が、オリエンタリストによるマッカの記述の雛型として機能していくようになる[23]。これら一連の旅行記のなかでは、時に彼の記載内容を批判しながらも、大枠ではブルクハルトの巡礼内容を踏襲することで、自らの旅行経験の真正性を担保しようとしてきた。

この点について、エドワード・サイードは『オリエンタリズム』のなかで、オリエントに関わる著者や著作について引用することによって、引用された著作の権威が高まっていく構図を示している [サイード 1993: 21]。その際、旅行記やガイドブックは、「人間や場所や経験が一巻の書物によってつねに描写されうるとする考え方」であり [サイード 1993: 222]、「書物（テクスト）のほうが、そのなかに描写されている当の現実よりもいっそう大きな権威を得、いっそう広く利用される」[サイード 1993: 222] 点を看過する。さらに、「読んだ書物が読者の現実の経験を規定すると、今度はその事実が書物の著者のほうに影響を与え、読者の経験によってあらかじめ規定されてしまった主題を著者に採用させるようになる」[サイード 1993: 223]。

上述の指摘を踏まえるのであれば、ブルクハルトの巡礼旅行記もまた、既に彼が現地でさまざまな経験をする段階から、参照や模倣、引用されること、すなわち「読者」を意識した体験を選別して積み重ねてきたと捉えられる。実際、ブルクハルトは事前・事後にマッカや巡礼に関する情報を集めて分析しているうえに、現地でもエージェントやインフォーマン

トをうまく活用しながら、効率よく情報を収集してきた姿がうかがえる。それら必要な情報をコンパクトにまとめ上げている点で、後続の旅行者たちにとっては実用的なガイドブックとして活用されてきたと言える。その点、彼の巡礼経験をめぐる「再帰性」こそが、ブルクハルトを近代のマッカ巡礼の先駆者としての権威を高めていくことになったと捉えることができる。

(2) ブルクハルトの巡礼経験をめぐる超越性と 「正しきムスリム」

　ブルクハルトの巡礼旅行記は、西洋社会だけにとどまらず、ムスリムたちによっても読み継がれてきた。特に、ヨーロッパ諸国やアメリカといった西洋社会のなかのムスリムたちの増加にともない、英語圏を中心とした西洋社会のムスリムたちによってブルクハルトの著作は読み継がれていくとともに[Wolfe 2015(1997)]、アラビア語をはじめとしたイスラーム諸国の言語に訳されるなかで、彼の巡礼体験が徐々にムスリムの間でも共有されるようになってきた[24]。

　ムスリムの間で共有されていくにつれ、ブルクハルト自身が従来の「白い異邦人」としての表象から、「真正な巡礼経験を享受したムスリム」として描き出されるようになっていく[25]。一見すると奇妙に見えるこの捉え方は、ブルクハルトに対するある種の尊敬と敬意、畏怖の念といった、彼の巡礼経験の「超越性」から見て取ることができる[Sardar 2014; De Guise 24 Feb 2020]。そこでは、彼がムスリムであるか否かよりも、マッカ巡礼のために常人にはできない膨大な時間や労力をかけてイスラーム的知識や習慣を身につけ、マッカ巡礼を果たしたことに対する、畏怖の感情が表出している。そこには逆に、20世紀後半以降のマッカ巡礼の近代化の流れのなかで失われてしまった、前近代の巡礼に対するある種のノスタルジーを見て取ることができる。

　この巡礼旅行の再帰性と超越性をめぐる状況について、近代以降の旅行記の特徴を論じた石橋正孝の議論を参照すると、

その内実が見えてくる［石橋 2015］。そこでは、著者と読者による「二重の依存」と「両者の一括的否認」という2つの新たな動きを生み出している点を示す。すなわち、旅行記が「大量印刷が技術的に可能になったお蔭で、大衆という市場に依存」［石橋 2015: 28］する産業的な構図ができたことを示す。旅行記の著者はそのなかで、「ロマン主義者は自身大衆の一員でありながら、大衆を均一な存在と見做した上でその独自性の欠如を難ずることにより、己を大衆から差異化し、独自性を発揮する」［石橋 2015: 28］ことを迫られるようになっていく。そこでは、「彼らを手本にしようと望む大衆が一定数存在しなければ、彼らの真正性は保証されない。他方、大衆もまた、ロマン主義者および大量消費社会の最初期の形態（出版）によって一律に烏合の衆扱いされることに多かれ少なかれ苛立ちを覚えている。その結果、大衆批判を最も歓迎するのは当の大衆自身であるという逆説が成立する」［石橋 2015: 28］という矛盾を内包していく。

　ブルクハルトの巡礼経験もまた、この大衆との矛盾した関係を内包していくことで、逆に社会のなかで受容されてきた。すなわち、膨大な時間と労力をかけて蓄積されたブルクハルトのイスラーム的知識と経験は、ムスリムの巡礼者たちにとっても、模倣はできても超越することが不可能な、理想的な巡礼経験の基盤となっていく。むしろ、彼の巡礼経験をめぐるこの「超越性」こそが、彼がムスリムであるか否かという文脈を超え、西洋社会とムスリム社会の双方において、彼の巡礼経験のイスラーム的な真正性を承認していく源泉ともなってきた。そのなかで、ブルクハルトの巡礼経験の意味づけも、イスラーム世界のなかに紛れ込んだ「白い異邦人」としての位置づけから、真正なる巡礼経験を行った「正しきムスリム」として描き出されるようになっていく。

5. おわりに

　本章ではヨーロッパ人巡礼者であるヨハン・ルードヴィヒ・

ブルクハルトの巡礼旅行記がいかに受容されてきたのか、彼のマッカ巡礼旅行記である『アラビア半島の旅』を取り上げながら論じてきた。最後にこれまでの議論をまとめていきたい。

　ブルクハルトの巡礼旅行記は、当時の西洋社会におけるオリエンタリズム（東方趣味）の発展と、商業出版を通じた旅行記市場の勃興のなかで形作られてきた。大量印刷を通じた大衆への旅行記の流通は、市場での旅行記の購買や旅行事業への支援や参画を通じて、新たなコンテンツを生み出す社会的気運を熟成する契機となった。そのなかで、アフリカ協会の要求に応える情報収集を行ったブルクハルトとその旅行記は、知的欲求を満たすコンテンツとして、西洋社会で受容されてきた。

　しかし、「未開の地」を明らかにした彼の旅行記は、後続の人びとによって異なった社会的文脈のなかに布置されていく。西洋社会では後続の旅行者たちが、ブルクハルトの巡礼旅行記を繰り返し参照し、彼の巡礼経験を模倣することで、自らのアラビア半島における旅行経験の真正性を担保しようとしてきた。他方ムスリム社会では、巡礼者たちが彼の巡礼経験を参照し、模倣することを通じて、「正しきムスリム」としての姿を担保しようとしてきた。この点、ブルクハルトの旅行記が、単なる当地の情報を提供するだけでなく、人びとの旅行経験をも規定し、さらに公共性を涵養するメディアとして、現代にいたるまで強く作用している点を見て取ることができる。

　以上の議論を踏まえると、ヨハン・ルードヴィヒ・ブルクハルトの巡礼旅行記は、巡礼経験をめぐる「再帰性」と「超越性」が大衆のなかで受容される過程で、公共性や宗教的真正性を獲得してきた、と結論づけられる。すなわち、多数の旅行者／巡礼者によって繰返し参照、模倣、引用されていく再帰性こそが、ブルクハルトの巡礼経験の権威を高めてきた。同時に、彼が莫大な時間と労力をかけて獲得した宗教的知識や経験によって顕現する超越性こそが、ムスリムを中心にある種の畏怖や畏敬の感情を生み出し、宗教的正当性を担保す

ることとなった。

　一連の議論を踏まえると、これらの巡礼・参詣旅行記が大衆の間で浸透していく過程こそが、イスラーム復興をムスリム社会のなかで実態化していく契機のひとつとなってきたと捉えられる。巡礼記・参詣記をめぐる研究はその点、中東やイスラームの社会の内実を明らかにする可能性を秘めながらも発展の途上にあるがゆえに、さまざまな研究の可能性を秘めた分野でもあると言える。

注

1　実際、11世紀のナースィレ・フスラウ（ナーセル・ホスロー）や、12世紀のイブン・ジュバイル、14世紀のイブン・バットゥータたちの旅行記は、イスラーム世界内外のさまざまな実態を、当時の一人のムスリムの視点を通じて生き生きと描き出していく。

2　ジョセフ・バンクスはイギリスの博物館学、植物学者である。ジェームス・クックの第1回航海（1769–71年）に同行し、各地の植生に関する詳細な報告を行い、イギリスにおける自然科学の権威の一人となっていく。1774年にイギリスの王立協会の評議員に選出されると、1778年には会長に選出される。その後も学術協会の設立に多数関わり、イギリスにおける学術発展の基礎を築いていく［Sim 1969: 20］。

3　正式名称は「アフリカ内陸部発見振興協会（Association for Promoting the Discovery of the Interior Parts of Africa）」である。西アフリカの奥地の探索のために有志家たちが出資して作られた組織。特に、トンブクトゥへの到達を目指して探検事業を主催した。John Ledyardや Simon Lucas、Daniel Houghton、Friedrich Horsneman を送り込むが、現地で死亡したり消息を絶つなかで、探検事業は失敗する。その後、マンゴ・パークの成功によって一躍知名度を高め、事業を継続させていく。しかし、創設者のジョセフ・バンクスの死後はその影響力を徐々に低下させていく。イギリス政府が政府事業として探検事業を支援する政策を展開するようになると、1831年には前年に設立されたロンドン地理協会（Geographic Society of London）に吸収される。ロンドン地理協会は1859年には王立地理協会（Royal Geographical Society）へとさらに

規模を拡大させ、政府の支援を受けた大規模事業を展開していくようになる［Sim 1969: 20; Kryza 2006］。

4　マンゴ・パークはイギリスの探検家である。アフリカ協会からの支援を受けて、1794年から1799年にかけて行われたニジェール川流域の探検調査を成功裡に終え、その成果を1799年に『アフリカ奥地の旅（*Travels in the Interior Districts of Africa*）』として出版している。その後1803年から再びニジェール川流域の探検調査をアフリカ協会の支援によって実施するが、その探検調査の半ばで死亡した［Kryza 2006］。

5　パーク自身は1805年から2回目のニジェール川流域の探検に従事するが、1806年に現地住民たちの執拗な襲撃によって落命する。

6　現在のリビア南西部の地域。サハラ砂漠を通じた地中海とアフリカの交易ルート上にあたり、キャラバンや巡礼団の往来が盛んな地域であった。

7　彼の著名な親戚として、歴史家のヤーコブ・ブルクハルト（Jacob Bruckhardt、1818–97年）や、後にイスラーム研究者でムスリム（Ibrahim Izz al-Din）となるタイタス・ブルクハルト（Titus Bruckhardt、1908–84年）がいる。

8　ヨハン・フリードリヒ・ブルーメンバッハは、ドイツの動物学者、人類学者である。ゲッティンゲン大学の教授として研究の発展に寄与するとともに、ジョセフ・バンクスとも親しく学術交流を保っていた［Sim 1969: 20, 46］。

9　アレッポ領事のBarker宅によく入り浸っていた［Sim 1969: 82］。

10　その後、マグレブ地方からの巡礼団は1817年まで停止していた［Sim 1969: 179］。

11　ヌビア地方への旅行では現地の統治者や住民の妨害に遭いながらも、アブー・シンベル神殿の発見をはじめ、ナイル河流域の多くの古代遺跡に関する情報をまとめ、後の考古学発見に繋がっていく［Sim 1969: 202］。

12　実際、ブルクハルトはマッカ巡礼を果たした者への敬称として用いられる「ハーッジュ（hājj）」を獲得することで、ムスリムとしての社会的ステータスをより確固たるものとして、西アフリカ探検を容易にしようとしてきた［Bruckhardt 1829a］。

13　特に、ムハンマド・アリーの主治医のBosariや、アルメニア人官僚であったBoghoz Beyといった人物たちとカイロ時代から親しく付き合いを続け、アラビア半島でも彼等と頻繁に会ったり、文通を続けていた点が見て取れる［Bruckhardt 1829a; Bruckhardt 1829b; Sim 1969: 151–177］。

14　ブルクハルトが頻繁にジェッダを訪れた理由として、当地がアラビア半島の

物流の拠点であった点があげられるとともに、国際的な情報の拠点ともなっていた点があげられる。実際、ブルクハルトは当地の印象としてマッカやマディーナと同様、外国出身の人びとによって占められている点を記している。そのなかでもイエメンのハドラマウト出身者が最も多く、インドのボンベイ、マレー系、シリア・エジプト、バーバリー地方、ヨーロッパ・トルコ、アナトリア出身者が混在している点を示す。インド系住民以外はアラブ式の生活習慣や雇用形態、服装をしている点も記載している［Burckhardt 1829a: 27］。

15 Mezowar や Ferrashyn、Ciceroni と呼ばれるマディーナの宗教ガイドの生態についても、ブルクハルトは自分自身の経験や文献資料、他者からの情報を集約する形でその詳細な役割を記載している［Burckhardt 1829b: 138-205］。

16 彼が旅行記のなかで辛辣に記すように、聖モスクには附属図書館がなく、市内に書店や文献資料がなく、マッカの地誌や歴史に関する情報が入手しにくい点を嘆いている［Burckhardt 1829a: 389-393］。ただし、その背景としてワッハーブ派によって多くの本が持ち去られた点や、本や出版事業が停止してしまった点をあげている［Burckhardt 1829a: 392］。その他にも、ブルクハルトはアラビア半島における学者や文献の不在状況に大変失望し、呪詛とも思える非常に辛辣なコメントを旅行記中に何度も書き記している［Brcukhardt 1829a: 389-393］。この点からも、彼自身がシリアやエジプトで行ってきたような、イスラーム法学者たちとの議論や関連文献の読解を通じた、イスラーム諸学の知的交流を大いに期待した姿がわかるとともに、既に高次の宗教的知識を習得し、さらに希求していた姿を見て取れる。

17 それを示すように、彼自身は遭遇したことがないものの、当時のアラビア半島におけるワッハーブ派の影響についてはさまざまな角度から分析を加えており、同時代的史料としての貴重な証言となっている。その成果が、『ベドウィンとワッハーブ派に関する覚書（*Notes on the Bedouins and Wahabys*）』（1831年）となっている。

18 同様のスタイルは、西洋社会における後続の旅行記においても数多く見られる手法である。それについて、青木剛はロバート・フォーチュンの『三年間の放浪』と『中国茶産地への旅』の分析のなかで、仕事や事業で当地を訪れる「渡航者のために役立つ実用的な情報を可能な限り網

羅的に提供するという意図が明らかに読み取れる」点を指摘している［青木 2016: 57］。

19　ブルクハルト自身は、イブン・ジュバイルやイブン・バットゥータといった現在では古典として扱われる旅行者たちの巡礼旅行記だけでなく、過去の西洋人たちによる旅行記も網羅的に読み込んでいる。そのなかには、1807年にマッカ巡礼を行ったスペイン人ムスリムのアリー・ベイ・アル＝アッバースィー（Ali Bey al-Abbasi、1767–1818年）のマッカ巡礼記も参照している［Wolfe 2015(1997): 123］。

20　ブルクハルトが参考したものとして巡礼旅行記のなかに明示的に記しているものとして、下記のものがある。（1）9世紀の歴史家 al-Azraqī の『マッカに関する報告書（Akhbār Makka）』、（2）Taqī' al-Dīn al-Fāsī（1373–1429年）の『親愛なる地の歴史のなかの高貴なる首飾り（al-'Iqd al-Thamīn fī Tārīkh al-Balad al-Amīn）』、（3）10世紀のマッカの行政官であった Kuttāb al-Dīn al-Makkī によるマッカの聖モスクについて記した『アッラーとハラムの至高なる土地における至高なる事物について（al-A'lam hayy A'lam Bilād Allāh wa Ḥaram）』、（4）マッカ在住の著者である Asamī によるヒジャーズの歴史に関する二巻本の第2巻、（5）15世紀から16世紀のイスラーム法学者である Nūr al-Dīn 'Alī ibn Aḥmad al-Samhūdī（1466–1533年）によるマディーナの歴史を記した『信仰深さのエッセンス（Khulāṣa al-Wafā'）』［Burckhardt 1829a: xvii–xix］。

21　ブルクハルトの発見したイブン・バットゥータの『大旅行記』の要約版は、後に彼自身が論評を寄せており、死後ケンブリッジ大学に寄贈されるとともに、その簡単な論評が遺稿として発表されている。彼の発見した要約版については、後に言語学者のサミュエル・リー（Samuel Lee、1783–1852年）によって英語に訳され、出版されている［Burckhardt 1819; Wolfe 2015(1997): 54］。

22　リチャード・フランシス・バートンは、イギリスのオリエンタリストである。王立地理学協会からの援助を受け、1853年にマッカ巡礼を果たし、『アル＝マディーナとマッカへの巡礼私記（Personal Narrative of a Pilgrimage to Al-Madinah and Meccah）』を出版している［安田 2019］。その後もアフリカ大陸各地の探検を行うとともに、『千夜一夜物語』や『匂える園』をはじめとする古典の翻訳を行った人物としても有名である。

23　1885年にオランダの東洋学者であるクリスティアン・スヌック・フルフローニェ

（Cristiaan Snouck Hurgronje、1857–1936年）によるマッカ巡礼旅行や、1925年のエルトン・ラッター（Elton Rutter）、1930年代のジョン・フィルビー（St. John Philby、1885–1960年）やエヴェリン・コボルド（Evelyn Cobbold、1867–1963年）、といった多数の西洋人巡礼者たちが、ブルクハルトの経験を参照し、引用しながら自らの巡礼経験を語ってきた［Peters 1996; Wolfe 2015(1997)］。

24　19世紀当時のアラビア半島に関わる地誌や歴史が不足するなかで、西洋人による旅行記たちはアラビア半島の現象を明らかにする史料のひとつとして、現地の研究者たちによって利用されてきた。その成果として、ブルクハルトのアラビア語をはじめとする各国の翻訳本を見て取ることができる。

25　ブルクハルトのイスラームへの改宗をめぐっては、さまざまな議論がなされている。一方で彼の改宗は偽装であり、マッカ巡礼を果たすための形式的なものでしかなかったとする意見がある。他方で、彼自身は完全なるムスリムとして改宗後は過ごしたとする意見も見られ、意見の対立が見られる。彼自身は特にこの点について記していないが、ブルクハルトの親族は、彼は形式的には改宗したかもしれないがキリスト教徒のままであった、とする意見を寄せている［Sim 1969］。

参考文献

青木剛. 2016.「プラントハンターの旅行記——ロバート・フォーチュン、紅茶の苗を求めて中国に行く」窪田憲子・木下卓・久守和子編『旅にとり憑かれたイギリス人——トラベル・ライティングを読む』ミネルヴァ書房, 45–66.

家島彦一. 1983.「マグリブ人によるメッカ巡礼記——al-Rihlatの史料性格をめぐって」『アジア・アフリカ言語文化研究』25: 194–216.

———. 2017.『イブン・バットゥータと境域への旅——「大旅行記」をめぐる新研究』名古屋大学出版会.

石橋正孝. 2015.「ミシェル・ビュトールと観光文学の可能性」『立教大学観光学紀要』17: 27–44.

大稔哲也. 2018.『エジプト死者の街と聖墓参詣——ムスリムと非ムスリムのエジプト社会史』山川出版社.

サイード, エドワード. 1993.『オリエンタリズム（上・下）』今沢紀子訳, 平凡社.

杉田英明. 2002. 「旅行記」大塚和夫・小杉泰・小松久男・東長靖・羽田正・
　　山内昌之編『岩波イスラーム辞典』岩波書店, 1052.

守川知子. 2007. 『シーア派聖地参詣の研究』京都大学学術出版会.

安田慎. 2019. 「地域・時代のなかの巡礼経験／地域・時代を超える巡礼経
　　験——リチャード・バートンの『アル＝マディーナとマッカへの巡礼私記』
　　を読む」上智大学文学部史学科編『歴史家の調弦』SUP 上智大学出
　　版, 197–215.

Burckhardt, John Ludwig. 1819. *Travels in Nubia*. London: John Murray.

——. 1829a. *Travels in Arabia: Comprehending an Account of those
　　Territories in Hedjaz which the Mohammedans regard as Sacred.* vol. 1.
　　London: Henry Colburn.

——. 1829b. *Travels in Arabia: Comprehending an Account of those
　　Territories in Hedjaz which the Mohammedans regard as Sacred.* vol. 2.
　　London: Henry Colburn.

De Guise, Lucien. 2020. 'Hajj Journey Through the Ages' Takes
　　Viewers Back in Time on a Spiritual Journey, *New Straits Times*,
　　24 February 2020, https://www.nst.com.my/lifestyle/sunday-
　　vibes/2020/02/568591/hajj-journey-through-ages-takes-viewers-
　　back-time-spiritual?fbclid=IwAR09qks4-o35PmU0e5xb1A-3VqB_
　　ZOoGF28wulgl7Aq3Yxu_Yj9rP_JP5q8, accessed on 28 March 2020.

Eickelman, Dale F. and James Piscatori eds. 1990. *Muslim Travellers:
　　Pilgrimage, Migration and the Religious Imagination*. London:
　　Routledge.

Hulme, Peter and Tim Young eds. 2002. *The Cambridge Companion to
　　Travel Writing*. Cambridge: Cambridge University Press.

Kryza, Frank K. 2006. *The Race for Timbuktu: In Search of Africa's City of
　　Gold*. New York: Harper Perennial.

Mols, Luitgard and Marjo Buitelaar eds. 2015. *Hajj: Global Interactions
　　through Pilgrimage*. Leiden: Mededelingen van het Rijksmuseum voor
　　Volkenkunde.

Rahimi, Babak and Peyman Eshaghi eds. 2019. *Muslim Pilgrimage in the
　　Modern World*. Chapel Hill: UNC Press Books.

Peters, Francis E. 1996. *The Hajj: The Muslim Pilgrimage to Mecca and the*

Holy Places. Princeton: Princeton University Press.

Pratt, Mary L. 1992. *Imperial Eyes: Travel Writing and Transculturation*. London: Routledge.

Piller, Gudrun, Sabine Söll-Tauchert, Daniel Suter and Therese Wollmann. 2017. *Scheich Ibrahim: Basler Kaufmannssohn Johann Ludwig Burckhardt (1784–1817) und seine Reisen durch den Orient*. Basel: Christoph Merian Verlag.

Sardar, Ziauddin. 2014. *Mecca: The Sacred City*. London: Bloomsbury Publishing.

Sim, Katharine. 1969. *Desert Traveller: The Life of Jean Louis Burckhardt*. London: Victor Gollancz Ltd.

Tagliacozzo, Eric and Shawkat M. Toorawa eds. *The Hajj: Pilgrimage in Islam*. Cambridge: Cambridge University Press.

Wolfe, Michael ed. 2015(1997). *One Thousand Roads to Mecca: Ten Centuries of Travelers writing about the Muslim Pilgrimage*. New York: Grove Press.

第4章

「モラル装置」化する映画

エジプト・コメディ映画に描かれる「偽物のイスラーム」

勝畑冬実

1. はじめに

　1970年代以降、エジプトにおいて、イスラーム復興と呼ばれる潮流が顕在化したことは広く知られている。ムスリムは近代以前から自らの信仰のあり方を自省し、改革を試みてきたが、その動きと、近代以降の列強による植民地支配への抵抗や、独立後の混迷への挫折感などがあいまって、「イスラームを柱にすえた新しい社会」を希求する社会・文化現象や政治運動が目立つようになったのである。

　そのもとで登場したのが、「シャリーア (イスラーム法)」によって秩序づけられた共同体を目指し、政治活動を行う人びとであった。「イスラーム主義者」とも呼ばれる彼らの活動には、既存の議会制度を認めた上でイスラーム法の施行を目指す穏健なもの、武装闘争による体制変革をもくろむ急進的・過激なもの、またその中間に位置するものもあり、形態は様々である[1]。また、そのような政治活動に関わらずとも、これまでより熱心に宗教的実践に取り組む人びとも増加した。特に変化したのは服装である。預言者ムハンマドの伝承にならって顎鬚を伸ばす男性や、ヒジャーブ (ヴェール) で髪や顔を覆い、肌の露出を控える女性が増えたことはよく指摘される。

　これらのイスラーム復興にまつわる人びとは、エジプトのメディアにおいてどのように取り上げられてきただろう

か。特に2011年1月25日革命によるムバーラク大統領（在任1981-2011年）退陣以降、エジプトでは様々な政治的・社会的変動があったが、その中で彼らに対する言説は変化しただろうか。本章ではその一つの例として、エジプトの大衆娯楽映画、特にコメディ映画における彼らの表象を分析したい。エジプトでは、後述するように映画制作者は政府の検閲に従う。その一方で、人気作を目指し、一般大衆が「いま見たいと望んでいるもの」をくみとって映像化する努力も怠らない。特に大衆を笑わせなければならないコメディ映画では、この傾向がいっそう強まる。コメディ映画を分析することにより、彼らに対するエジプト政府の言説はもとより、書籍や新聞・雑誌などの文字メディアでは追い切れない、大衆の生の感覚を窺い知ることができるのである。

　次節では、イスラーム復興が起こった1970年代以降のエジプト・コメディ映画の特色と、それについての先学の研究状況を確認する。続いて第3節・第4節において、革命直前に制作された『コンスルの息子』（2010年）、および、革命後の2017年に制作された『火の国のアルムーティー』をそれぞれ取り上げ、イスラーム復興にまつわる人びとの表象を分析する。両者における共通点・相違点を整理することで、彼らに対する基本的な言説と、革命を通してのその変化を明らかにしたい。

2. 1970年代以降のエジプト・コメディ映画と　イスラーム復興の表象をめぐって

（1）1970年代以降のエジプト大衆映画

　エジプトは「ナイル河畔のハリウッド」とも呼ばれる、アラブ世界最古・最大の映画産業を有する国であり、その映画はエジプト国内のみならず、周辺アラブ諸国の人びとにも親しまれてきた。

　イスラーム復興の顕在化が始まった1970年代は、エジプ

ト映画史においても重要な転換点であった。エジプトの映画産業はナセル大統領（在任1956-70年）のもとで1960年代に国有化されていたが、そのうち制作部門が、1971年にサーダート大統領（在任1970-81年）のもとで民間に再移管され、この結果、多い年には一年に約100本の作品が作られるようになったのである[2]。リアリズム映画や芸術映画もあるが、そのほとんどが娯楽映画であった。その後、映画業界が衛星放送・インターネット等の新メディアの普及におされたこと、また特に2011年1月25日革命以降、政治・経済状況が不安定化したことなどが原因で、制作数は減少し、2019年現在の年間制作数は数十本程度になっている。しかしながら、それでも映画はエジプト大衆にとって重要な娯楽の一つであり、毎年、祝日である「イード・アル＝フィトル（ラマダーン明け祭）」と「イード・アル＝アドハー（犠牲祭）」の時期には、プロデューサーたちが大型作品をぶつけ話題や収益を競い合う。

　大衆娯楽作品の中でもコメディは数が多い。時代によっても違うが、エジプトのコメディ映画は、家族や人間関係の問題に加え、貧困や行政の機能不全など、社会問題を取り上げるものが目立つ。これらの作品は、観客の誰もが知っている困難を扱いつつ、随所に笑いをしかけ、その上で「あなたの思いや疑問は正しい」というメッセージを打ち出す。すなわち、スクリーンを通して観客にある種の精神的な癒しと救済を与える働きがあると考えられるが、この点については後に再び論じたい。

　ところで、エジプトのコメディ映画には、イスラーム復興の顕在化とともに、それに関わる人びとが「笑いを生み出す役割」を担って登場するようになった。このうち先学が最も注目してきたのは、「アラブのチャップリン」とも呼ばれる俳優アーディル・イマーム主演の『テロリスト』（1994年）である。エジプトでは1970年代末頃から「急進的なイスラーム主義者」の戦闘的な活動が目立ち始め、知識人・閣僚の暗殺、観光客を狙ったテロなど、様々な事件が起きていた。このような時期に政府のテロリズム撲滅キャンペーンとの協

働で制作された本作は、「急進的なイスラーム主義者」のテロリストが、交通事故をきっかけにカイロのリベラルな中産階級の家庭にかつぎこまれ、そこでその一家の影響を受けて考えを改めていくという物語になっている。この作品に加え、後に述べる『テロリズムとケバブ』(1992年)、2000年代の大学における「イスラーム主義者」の活動が描かれた『一緒にするなよ』(2007年) などについては[3]、既に複数の先学が分析してきた[4]。

　しかしながら、先学の分析は2011年1月25日革命以前の作品が中心であるため、その後の作品も検討することで、革命後のイスラーム復興に対する言説の変化がより明らかになる。また映画には、政治活動を行う「イスラーム主義者」だけでなく、特に積極的に政治活動に参加せずとも、以前より熱心に宗教的実践に取り組む信徒、いわば市井に生きる「信心深い」人も登場しているため、彼らを分析の射程に入れることも重要であろう。

　そしてその際には、コメディ映画の根本的な構造に注目しなければならない。コメディ映画は、観客に無意識のうちに「自分は安全圏にいる」と思わせ、その上で、スクリーン上で登場人物によって何らかの「ギャップ」や「違和感」を作り、その「落差」を見せて笑わせ、最後にもう一度安心感を持たせる、という構造をもつ。イスラーム復興に関わる人びとが「笑いを生み出す役割」を担って登場する場合、そこにはイスラーム的言説について何らかの「違和感」が表現されているはずである。これを読み解くことで、エジプト社会において、何が「安心できるイスラーム」とされていて、何がそうでないのかを浮かび上がらせることができよう。

(2) エジプト映画における検閲

　ここで気をつけなければならないのは、民間に再移管されたとはいえ、エジプトでは映画制作における政府の検閲が続いているということである。映画制作者は現在でも、公的組織である映画職能組合・俳優職能組合と協働すること、脚本

写真1　カイロの老舗
映画館、メトロ
（出典）高橋友佳理氏
による撮影・提供

と編集済フィルムの二段階で文化省検閲局のチェックを受けること、撮影にあたって内務省や警察などの許可をとることなどを求められる[5]。これらのプロセスによって政府が望まない表現や言説が排除されるのだ。特に現スィースィー政権（在任2014年-現在）のもとで、この傾向は強化されている。例えばイスラーム復興に関わる人びとの表象に関しても、暴力的な活動を行う「急進的イスラーム主義者」を賞賛するような表現は基本的に許されない[6]。エジプト政府が彼らに対して厳しい姿勢で臨み、鎮圧する方針をとっているからである。

　プロデューサーや監督・脚本家は、作品完成と上映を目標とする以上、積極的か消極的かの差はあれども、政府の方針を受け入れざるを得ない。そこでエジプトの大衆映画を扱う場合は、脚本に検閲が加えられ、作品として完成していくまでの過程を追うことも重要である。変更・削除命令が少ないほど、その企画は政府の見解と合致していたと言える。

　以上述べてきた点に留意しつつ、本章では先学がまだ論じていない作品の中から、革命前に市井の信徒を扱った映画と、革命後に「イスラーム国」を扱った映画の2つを取り上げ検討したい。前者では特に「『信心深い』人物を装う詐欺師」、後者では「イスラーム主義」過激派の組織の表象に焦点をあてながら分析する。両者の共通点によって、政治的活動を行う「イスラーム主義者」だけでない、イスラーム復興

全体に対するエジプト映画の基本的な言説を読み解くことができ、また両者の相違点によって、2011年革命を通してのその言説の変化を明らかにすることができると考える。

3. 『コンスルの息子』と信仰の「衣装化」

(1)「信心深い」人物の戯画化

　エジプト・コメディ映画では、イスラーム復興の中で増加した「真面目に信仰に取り組む人」が肯定的に描かれることはあまりなく、逆に彼らの存在を笑うという手法がしばしばとられてきた。例えば、「信心深い」人物が、その厳格さによって周囲の人物との間に緊張感・違和感を生み出し、その「ギャップ」によって観客を笑わせるというものである[7]。また、その別の形として、「信心深い」ように見せかけている人物が登場し、後で本性がわかってしまうというパターンもある。代表的な作品として、先述の社会派コメディの名作『テロリズムとケバブ』があげられよう。子供の転校手続きのために総合庁舎にやってきた水道局員が、行き違いで職員たちを人質に立てこもるテロリストになってしまうというストーリーだが、注目すべきは、この職員たちのなかに1人、顎鬚を生やし、タキーヤ（白い帽子）をかぶり、礼拝時刻でない時間に仕事もせずひたすら礼拝している男性がいることである。彼は一見「信心深い」人間に見えるのだが、映画の後半、本当の礼拝時刻に礼拝もせず、差し入れられたケバブの食事に夢中になるなど、「信心深さ」とはほど遠い人物だと露呈するのである[8]。

　八木［2007: 213-4］は、大衆娯楽映画が、一般大衆の言語化されていない「いま」の思いを汲み取って映像化し、それを見た人に自分の感覚の正しさを確認させるという機能をもっていることを指摘している。映画のなかにこのようなキャラクターが登場するのは、イスラーム復興の中で出てきた「信心深い」人物に対し、人びとが口に出さずとも抱いていた違

和感を抽出し、増幅して可視化したものであろう。そしてこのようなキャラクター造形をさらに進化させたものが、次項で扱う「『信心深い』人物を装う詐欺師」なのである。

(2)『コンスルの息子』

「信心深く」見える人物に、最大の「ギャップ」の仕掛けをしたと言うべき映画が、2010年の犠牲祭シーズンに公開された犯罪コメディ『コンスルの息子』である。本作は、イスラーム復興についての人びとの思いを、他には見られない形で最大限に利用、かつ表現しているという点で重要であるため、以下でその内容を整理し、そこで描かれる「信仰の衣装化・記号化」という問題を検討したい。

映画はアレクサンドリアを拠点に活動する稀代の偽造師アーディル（別名コンスル）が、1978年に実刑判決を受け、32年間服役し、2010年に出所したところから始まる。そこに実の息子を名乗るイサームという人物が現れ、行き場のないコンスルを家に住まわせる。イサームは顎鬚を生やし、白いタキーヤをかぶり、中国から礼拝用品を輸入する仕事をしている。家では白いサウブ（伝統服）を着て数珠をもち、衛星放送は宗教チャンネルのみ設定し、貧しい人に施しを欠かさないという、絵に描いたような「信心深い」人物に見える[9]。

コンスルは新たに知り合った娼婦ブースィーとともに、イサームに「イスラーム主義者」急進派グループとの交流をやめさせ、「エジプトには、貧しくて生きていけないにもかかわらず、お金がなくて必要な証明書やビザを入手できず、困っている人が大勢いる。彼らを助けるのだ」と説得して偽造業に引き込む。この過程でイサームは顎鬚を剃り、タキーヤもはずした西洋服スタイルになる。視聴者は、「信心深い」はずのイサームが欺され、犯罪に手を染めていくという「ギャップ」を見て楽しむことになる。

しかしながらこの映画の最大の「ギャップ」はそこにあるのではない。物語の最後で、このイサームこそが実は詐欺師であり、1978年の入獄前にコンスルが隠した大金のありか

を聞き出すために、息子のふりをして近づいていたこと、娼婦のブースィーも、イサームが交流していた「イスラーム主義者」急進派グループも、関わった全てがイサームの詐欺師仲間であったことがわかるのだ。すなわちこの映画は、アメリカ映画『マッチスティック・メン』(2003年)のような、「ターゲットに実の子供のふりをして近づく詐欺師の映画」なのである。『マッチスティック・メン』では、ターゲットを信頼させるために、「愛らしく、純粋無垢な14歳の少女（を装う詐欺師）」が近づいたが、『コンスルの息子』では、ターゲットを信頼させる「誠実な」キャラクターとして、イスラーム復興のもとで出てきた「信心深い」人物の造形が選ばれているという点が重要である。

　「信心深い」人物スタイルの詐欺師が登場する映画は過去にも制作されていた。例えば、上エジプト出身の男がカイロで門番となった後、住宅関連事業を展開する様を描いた社会派コメディ『ミスター門番』(1987年)や、自宅マンションを失った男がトレーラーハウスを作って放浪するという、エジプトの住宅難を諷刺した社会派コメディ『通りのカラークーン』(1986年)には、顎鬚を生やし、数珠を握った、いかにも「信心深く」見える詐欺師が登場し、主人公から預かった金を持ち逃げする。しかしながらそれらは主人公をだます脇役の1人にすぎなかった。『コンスルの息子』はそれを主役に据え、観客をも欺こうとする点で他とは異なっている。観客は、冒頭からイサームの非の打ち所のない完璧な信心ぶりを見せつけられ、引き込まれつつも、心のどこかで「何かあやしい」という感覚をうっすらと持つ。そして最後の種明かしを受け、「やっぱり詐欺師だったのか」と、映画全体から大きなカタルシスを得る。先にも述べた、イスラーム復興の中で大衆が何となく感じていた「信心深い」人物に対する「違和感」を、制作者が最大限に利用しているという点で、本作は他に類を見ないと言えるだろう。

　物語の中盤、コンスルがイサームに急進派グループとの交流をやめさせ、偽造業に引き込もうとする場面が重要である。

コンスルは「彼ら急進派はアフガニスタンやアメリカに打撃を与えようとしているのか？　パーコス（アレクサンドリアの地名）に行くだけだってひどい目に遭うだろうに（無理に決まっている）」、「イサームよ、お前が輸入しているもの、その全てが本物なのか？　俺たちは本物と偽物の区別がつけられない時代に生きているんだよ」と言い、娼婦ブースィーも「そうよ、全ては偽物なのよ」とたたみかける[10]。この映画は、エジプト社会の貧富の格差や、貧しい庶民の行き詰まった状況を批判しているが、それだけでなく、今のエジプトの何もかもが、イスラーム復興の中で台頭してきた「信心深い」人の信仰や、「イスラーム主義者」の思想も含め、あらゆることが「フェイク」になってしまっているという人びとの思いをかきたて、自嘲的な笑いに落とし込んでいるのである。

　以上をまとめると、本作はイスラーム復興の潮流を徹底して「衣装化」「記号化」し、笑いの仕掛けにした作品であり、「信心深く」見える人物を戯画化した1980年代以降のコメディ映画の集大成であると言える。2010年10月30日付『ドゥンヤー・アル＝ワタン』ウェブや2010年11月12日付『アンバーア』紙電子版など各種報道をまとめると、検閲当局は脚本段階で「衛星放送の9割はカーフィル（不信仰）だよ」というセリフを「ハワーウィシュ（猥褻）だよ」と変更させ、イスラエルやパレスチナといった言葉のあるシーンや、警察官が賄賂を受け取るシーンを削除させたが、シナリオの骨格を変更させることはなく、また編集済みフィルムにはそのまま上映許可を出したという。興行収入に関しては、2017年7月3日付『フィル・ファン』ウェブによれば最終的に1400万エジプト・ポンドと、主演俳優のアフマド・サッカーがもともとコメディ畑でなかった割には健闘した。イスラーム復興の中で出てきた信心のあり方は、本物のイスラームの信仰とは違った「フェイクのイスラーム」であるという言説は、政府のみならず大衆からも一定の支持を受けたと考えられる。

　興味深いことに、このような「信心深く」見える人物の戯画化は、2011年1月25日革命後からいったん減少したと見ら

れる。また、急進的「イスラーム主義者」やその組織の姿
も、1994年の『テロリスト』以降は、コメディ映画ではな
く、どちらかと言えばシリアスな社会派ドラマやサスペン
ス・アクション映画の中で描かれるようになっていた。つま
り、2011年革命後は、イスラーム復興に関わる人びとがあ
まりコメディ映画のなかに登場しなくなっていたのである。
これについては様々な要因が考えられるが、その一つとして
は、政治・経済の混迷の中で、検閲の方向性やビジネスの問
題も含め、映画業界全体が不安定だった可能性も挙げられる
だろう[11]。そしてこのような状況に変化が生じたのが2017年
のことであった。次節では、この年に制作された『火の国の
アルムーティー』を取り上げ、そこに見られる過激派組織「イ
スラーム国」の表象を分析したい。

4. 『火の国のアルムーティー』の中の
「イスラーム国」

（1）2011年革命後のエジプトの政治状況

　2017年は、エジプト・コメディ映画のイスラーム復興の
表象を考える上で重要な年となった。確認できるだけでも3
本のコメディ映画が、「イスラーム国」やそれに類する組織
の軍事キャンプを扱ったのである。
　2011年1月25日革命後のエジプトの歩みは平坦ではなかっ
た。「穏健なイスラーム主義」組織とされる「ムスリム同胞団」
出身のムルスィー大統領（在任2012-13年）の登場と、その政
界からの追放など、様々な政治的・社会的混乱が続いたので
ある。そして混迷の中で民主主義プロセスに幻滅した人びと
を受け皿にする形で、過激派組織が活動を活発化させていっ
た［髙岡 2019: 295］。その例が、「イスラーム国」に忠誠を誓
う組織である。「イスラーム国」自体は、2011年以降のアラ
ブ諸国の混乱の中で、シリアとイラク、リビア等で領域支配
を目指した組織だが、エジプト国内にもその信奉者の集団が

あり、各地でテロ事件を起こすようになった。現スィースィー大統領は、彼らの鎮圧を掲げ、また自らの体制の安定化をはかるため、強い形でメディア統制を行っている。

　2017年、このような状況下で制作されたのが、「イスラーム国」や同類の組織が登場するコメディ映画、『火の国のアルムーティー』、『考え違いは茶番のもと』、『ダアドゥーシュ』である[12]。次項では、このうち彼らについての言説が極めて明確に読み取れる『火の国のアルムーティー』を取り上げる。

(2)『火の国のアルムーティー』

　『火の国のアルムーティー』は、革命以降作品数が減少するエジプト映画界において、1人で毎年6-7本もの大衆映画の制作を手がける大物プロデューサー、アフマド・スブキーが、現在エジプトの大衆コメディ映画をほぼ独占しているEl-Sobky Filmに制作させた冒険コメディである。

　アルムーティーとは、1994年以降エジプトのテレビ・映画に登場してきた中年男性キャラクターの名前である[13]。7年間業界から遠ざかっていた俳優アフマド・アーダムが起用され、久しぶりの「アルムーティーもの」となった本作では、アルムーティーはエジプト警察に食料品を納める商人という設定になっている。物語の序盤、彼は休暇で地中海沿岸のリゾート、マルサ・マトルーフに行くが、誤って海に流されリビア海岸に漂着し、「イスラーム国」のキャンプにつかまってしまう。

　ここから先は、「イスラーム国」の実態として伝えられていることが映画内で再現される。過激派組織「ヌスラ戦線」との対立、オレンジ色の服を着せた囚人の処刑シーンの撮影、SNSによる情報拡散、考古学遺物の破壊に加え、住民が音楽を聴いただけで処罰される様や、外国人女性が戦闘員に妻として与えられる様も描かれる[14]。

　これらを目にしたアルムーティーはいちいち疑問を口にする。例えば「ヌスラ戦線もイスラーム国もムスリムだよな？　同じ神に従う者同士で戦い、殺し合っているのか？　俺には

あんたたちが理解できないよ」といったセリフがそれにあた
る。アルムーティーはもともと1990年代に、エジプトの大
地を生きる農民として造形されたキャラクターであり、少し
頭がゆるいが憎めない性格の、穏健なムスリムとして設定さ
れている。つまり、ある意味「エジプト国民の象徴」的な人
物が、過激派の行いを一つ一つ「間違っている」と指摘する
という構成なのである。本作の笑いは基本的にはトリックス
ターとしてのアルムーティーの珍妙な物言いが生み出すが、「イ
スラーム国」の「愚かしさ」に対して、「まとも」なアルムー
ティーがつっこむ形でそれが増幅される。

　さて、アルムーティーから見た「イスラーム国」の誤りの
中で、最も重要な問題として描かれているのは、「イスラー
ム国」が喧伝しているイスラームは真のイスラームではない
ということだ。まず戦闘員はスウェーデン人やベルギー人な
どヨーロッパ出身者が多いという設定になっている。アルムー
ティーはこのような、アラビア語が話せない戦闘員を馬鹿に
する。そしてあるイギリス人戦闘員は2ヶ月前に入信したば
かりだと聞き、「2ヶ月前だって？　入信してからすぐにジハー
ドに？　礼拝も断食もきちんと経験していないだろ。預言者
生誕祭に家族を連れて行ったのか？　俺たちを馬鹿にしやがっ
て」と憤る。エジプトこそ最も偉大なイスラーム世界の中心
地であり、それ以外の地域からの出身者は偽物であるという
言説が暗に語られる[15]。

　さらに物語が進行するにつれ、アルムーティーは子供の頃
からクッターブ（寺子屋）でクルアーンを学び暗記し、正し
い理解に基づいて「イスラーム」を信仰しているが、「イスラー
ム国」のアミール（リーダー）や戦闘員はそうではないとい
う対比構造が示される[16]。これが最も良く表現されているの
が、アルムーティーがキャンプで再会した隣人の息子ムハン
マドと行う会話である。大学工学部を中退して「イスラーム
国」に参加したムハンマドのイスラーム理解は浅く偏ってお
り、度重なるアルムーティーの説得にも耳を貸さない[17]。興
味深いのは、物語を通してムハンマドへの同情的な姿勢は一

切とられないということだ。彼がなぜ大学をやめて組織に参加したのか、その理由は全く語られない。革命前のシリアスな社会派ドラマ映画が、「なぜテロリストが生まれるのか」を丁寧に描いていたのとは対象的に、この作品では戦闘員たちは「最新のIT技術は使えるものの、洗脳され、理性を失った頑固者」としてしか描かれないのである[18]。

こうして中盤で、エジプトに根ざし、他者に寛容なアルムーティーのイスラームが「真」であり、「イスラーム国」のイスラームは「フェイク」であることを伝えた上で、映画は結末を迎える。アルムーティーはエジプト警察での自爆テロを命じられ、強制的に作戦を実行させられるが、車につけられていた爆弾が爆発直前に落ちたため、間一髪で助かる。その後アルムーティーの情報を元に、エジプト軍がキャンプを空襲し、首脳部やムハンマドは逮捕される。最後はガラベーヤ（エジプトの伝統衣装）姿のアルムーティーが、エジプト国旗の飾ってある政府要人のオフィスで彼らに対面し、「お前らは俺たちに勝てないって言っただろ？　俺たち（エジプト国民）はいざとなれば、9000万人の殉教者になるんだぜ。だからもう二度とやるなよ」と啖呵を切るところで終幕となる。

まとめると、この映画は「イスラーム世界の中心に位置する偉大な国エジプト」「そこで信仰される穏健なイスラーム」と、「アラブ世界以外からの寄せ集め集団としてのイスラーム国」「そこで信仰される過激で偏狭なイスラーム」とを対置させ、「正しい」前者が「偽物の」後者を克服するという言説を打ち出している。2017年2月2日付『ワタン』紙電子版記事のほか各種報道は、本作に対して、検閲当局から脚本や撮影済みフィルムへの削除・変更命令が一切なかったことを伝えているが、これがエジプト政府の強いメッセージであることは明白であろう[19]。

また本作の興業収入は約661万エジプト・ポンドと、同じ1月に公開された『誠の日本人』（2017年）に75万エジプト・ポンド及ばなかったものの、ラマダーン明け祭・犠牲祭以外の時期としては健闘した[20]。興行成績に満足したプロデュー

サーが、アルムーティーものの次の作品『アルマト窮地に陥る』（2019年）を制作した程であった。過激派を社会から排除したいという政府の言説を体現した作品ではあるが、物語が一般大衆の感覚から大きく乖離していれば、このような健闘はなかったとも考えられる。

5. おわりに

　本章で扱ってきた『コンスルの息子』『火の国のアルムーティー』は、イスラーム復興の中で出てきた信仰のあり方を、政治や暴力への関与に関係なく、本来あるべきムスリムの姿に「付け加わった偽物」として描いている点が共通している。

　『コンスルの息子』の詐欺師イサームも、『火の国のアルムーティー』の戦闘員ムハンマドも、エジプトの大地に根ざして生活し、人生とともに信仰を培ってきたというような、いわゆる「肉体性」「実人生性」を欠いた空虚な存在である。その空っぽな自己の上に、イサームは文字通り衣装として、ムハンマドは思想として、「イスラームの信仰」を「纏っている」。ムハンマドは心から「イスラーム国」が正しいと思って言葉を発しているが、それは洗脳によって後から付け加えられた浅薄な思想に過ぎないという形で描かれる。この意味で、自爆作戦を命じられたアルムーティーの車に付けられた爆弾が、「イスラーム国」の付け方が甘く、爆発直前に勝手に「落ちて」しまうというシーンは象徴的といってよいだろう。

　これらの映画では、観客に「偽物」、すなわちイスラーム復興のもとでの信仰のあり方が付け加わったイサームやムハンマドを見せて違和感を覚えさせ、映画の最後で「付け加わった偽物がなくなった」状態を作りだし、安心感を与える。詐欺師として衣装を纏っていたに過ぎなかったイサームは衣装を脱ぎ捨て、「イスラーム国」に洗脳されているムハンマドは逮捕される。エジプトのコメディ映画はこのような形で、観客にスクリーンを通して「フェイクとしてのイスラーム」が潰える体験を提供し、精神的癒しを与えるとともに、「モ

ラルの再確認」［Ginsberg and Lippard 2010: 99］をさせるという、一種の「モラル装置」［佐藤 2018: 188］になってきているとも考えられる。

　そして重要なのは、『コンスルの息子』では、「偽物が取り去られる」というのが単に映画の構造に過ぎなかったのが、『火の国のアルムーティー』では、「偽物は絶対に取り去らねばならない」という「排除の論理」として強められている点である。『火の国のアルムーティー』では物語の大半を使って「イスラーム国」の誤りを列挙した上、エジプト軍によるキャンプ壊滅と指導部逮捕までをきっちりと描く。キャンプ空爆に出動する空軍機のショットが挟まれることからも、政府の意向が強く影響しているのが見て取れる。『火の国のアルムーティー』を『コンスルの息子』との比較で見ると、革命後、過激派が台頭し、現スィースィー政権のもとでそれへの対策と、映画を含むメディア統制が強化されているという、エジプトの変化そのものが読みとれる。

　現スィースィー大統領の言論封殺に対する国民の不満が高まるなか、このような映画の提供に大衆がどこまでついて行くのか、政府の言説と大衆の感覚がどのように制作者によってすりあわされていくのか、今後も慎重に見極めていく必要があるだろう。

謝辞

　本章執筆にあたり、アハマド・カリーム氏および、スライマーン・アラーエッディーン氏にご助言をいただいた。記して謝意を表する。

注

1　彼らに対する呼称は論者によって様々であり、政治的活動に参加しない者も含めイスラーム復興に関わる者全体を「イスラーム主義者」と呼ぶケースもあるが、本章では「イスラーム法」の施行を求めて組織的な政治活

動を行う者を「イスラーム主義者」と呼ぶ。政治的活動のうち、武力を伴う急進的な活動を行う者に関しても、「ジハード主義者」など様々な呼称があるが、本章では基本的に「急進的なイスラーム主義者」とし、特に「イスラーム国」に関しては「過激派」と呼ぶこととする。

2 アラビア語映画最大のデータベース・サイト、elcinema.comを元に筆者が調査した結果による。なお、Armes［2008: 154］は、1970年代以降で年間制作数が最も多かったのは1986年の95本としている。

3 『一緒にするなよ』は、ヒジャーブをかぶり、穏健な「イスラーム主義」を掲げて大学キャンパス内外で活動する美しい女子大生に一目惚れした軽薄な男子学生が、顎鬚を生やして彼女とともに行動していくうちに、急進的な「イスラーム主義者」の活動に巻き込まれ、様々な困難に遭うという内容である。

4 例えばエジプト映画における「イスラーム主義者」の表象について多くの論考を著しているアームブラストは、これらの作品を、それぞれ同時期の別のエジプト映画作品と比較する形で論じている。『テロリズムとケバブ』に関しては「イスラーム主義者」の表象を中心に置いた分析ではないが［Armbrust 1998］、『テロリスト』と『一緒にするなよ』の分析ではそれを中心に置き、「イスラーム主義」を近代社会の外側に位置づける前者［Armbrust 2002: 924–5］、「イスラーム主義」を「イスラーム」と分けた上で、近代社会の内側に位置づける後者［Armbrust 2015: 99–100］という見方を示している。またBirnbaum［2013］、Allagui and Najjar［2011］、Mosharafa［2017］なども、コメディ映画という観点ではないが、1990年代から2000年代にかけてのエジプト映画における「イスラーム主義者」の表象に言及している。

5 エジプト映画制作における検閲については、Farīd［2002］、Mansour［2012］、Selaiha［2013］、Shafik［2016: 33–36］、El-Khachab［2017］、勝畑［2020］を参照。

6 管見の限り、先述の『テロリスト』を含め、エジプト映画では「急進的なイスラーム主義者」は必ず警察か仲間によって殺される結末となる。

7 例えば、肥満青年の恋心を描いたロマンティック・コメディ『エックス・ラージ』（2011年）には、主人公のマグディが、片思いの女性とその親戚男性を車に乗せるシーンがある。この親戚男性が、顎鬚を生やし、数珠を下げ、預言者ムハンマドの伝承で使用が推奨されるミスワーク（楊枝）を使っ

ているという、典型的な「信心深い」人物であり、マグディは彼の風貌や、彼が車内で聞き始めた厳格な説教テープに威圧される。意中の女性を車で送るという甘い気分がある空間に、空気を読まない「信心深い」人物が突然現れた「違和感」が笑いを誘う。

8　内務省のテロ対策チームが彼の風貌をみてテロリストとしての「急進的なイスラーム主義者」と勘違いすることから、はっきりとイスラーム復興の文脈の中での「信心深く」見える人物であることがわかる。

9　映画の前半で、イサームが、行きがかり上地元の急進的な「イスラーム主義者」グループに入ってはいるが、積極的に活動しているわけではないことが説明される。この段階で映画はイサームを、イスラーム復興の中で登場した「イスラーム主義者」と、政治活動は行わない市井の「信心深い」人物の中間に位置づけている。

10　この映画のキーワードは「（偽物としての）中国製」である。それはイサームが中国から礼拝用品を輸入していること、イサームがコンスルにコンピュータの製造国を聞かれ、「中国だよ。あらゆる物は中国製なんだ」と答えるセリフ、主題歌のタイトル「中国製」などから理解できる。

11　この点については今後より詳細な検討が必要であるため、稿を改めて論じたい。

12　『ダアドゥーシュ』『考え違いは茶番のもと』はどちらもエジプトの青年がネットで勧誘されて過激派組織のキャンプに参加するというコメディ映画であり、中年男性が意図せずに「イスラーム国」につかまってしまうという『火の国のアルムーティー』とは異なる筋立てを持っているため、別稿（勝畑［2020］）にて論じた。

13　1994年にエジプト農業省による農業振興を目的としたテレビドラマ番組『大地の秘密（Sirr al-Arḍ）』に登場したキャラクター、アルムーティーは視聴者の人気を博し、彼を主役として1998年にテレビドラマ『秘密任務のアルムーティー（al-Qarmūṭī fī Mahamma Sirrīya）』、2005年に映画『大丈夫、僕らは侮辱されている』が作られた。

14　こうした表現は『考え違いは茶番のもと』『ダアドゥーシュ』でもほぼ同じである。

15　『考え違いは茶番のもと』でも、組織のリーダーが青年たちを、エジプトから来たというだけで大歓迎するシーンがあり、エジプトが過激派組織においても一目置かれた存在であるという言説が語られる。

16　アルムーティーはアミールに対し、「あんたには寺子屋の記憶はないだろうよ。

90年代の生まれだろ?」と言う。このセリフによって、「イスラーム国」のメンバーが若い世代であることが示される。

17　アルムーティーはムハンマドに対し、クルアーン食卓章第32節を引きながら、人を殺さず救うべきであり、その際に神は信仰者か不信仰者かで区別していないと説く。また、組織のアミールが裏で麻薬の密売をしていること、カリフ制国家が無知と貧困の解決策とはなり得ないこと、一般市民をテロで殺害するのは間違いであることなどを説明するが、ムハンマドは聞く耳をもたない。

18　この映画のテーマの一つが最新IT技術と宗教の問題である。映画の冒頭で、アルムーティーが通うモスクの臨時の導師が、「インターネットも携帯電話も宗教的に禁止されている」と説教をし、その考えに賛同できないアルムーティーと口論になるシーンがある。すなわち、映画としては、最新IT技術の使用はイスラームにおいて禁じられているわけではないが、「イスラーム国」のようにそれを悪事に用いてはならないという立場を示しているのである。

19　本作では、消防署・警察の機能不全など、エジプト行政の問題点も指摘されているが、アルムーティーの自宅マンションの外壁にはスィースィー大統領のポスターが目立つ形で貼られており、現政権の意向に従っていることが示されている。

20　elcinema.comの情報に基づく。なお、『火の国のアルムーティー』は、2017年のエジプト映画43作品の中で興業収入は14位であった。

21　エジプト映画のタイトルに関しては、アラビア文字への復元という観点から、可能な限り正則アラビア語での表記を行い、それが不可能な場合はエジプト方言の表記とした。制作年はelcinema.comに基づく。

参考文献

勝畑冬実. 2020.「1月25日革命後のエジプト大衆映画における「イスラーム主義者」の表象をめぐって」『イスラム世界』93: 1-26.

佐藤卓己. 2018.『現代メディア史　新版』岩波書店.

高岡豊. 2019.「イスラーム過激派の系譜──アフガニスタンから『イスラーム国』まで」高岡豊・溝渕正季編『アラブの春以後のイスラーム主義運動』ミネルヴァ書房, 287-312.

八木久美子. 2007.『アラブ・イスラーム世界における他者像の変遷』現代図書.

Allagui, Ilhem and Abeer Najjar. 2011. Framing Political Islam in Popular Egyptian Cinema, *Middle East Journal of Culture and Communication* 4(2): 203–224.

Armbrust, Walter. 1998. Terrorism and Kebab: A Capraesque View of Modern Egypt. In Sherifa Zuhur ed., *Images of Enchantment: Visual and Performing Arts of the Middle East*. Cairo: American University in Cairo Press, pp. 283–299.

———. 2002. Islamists in Egyptian Cinema, *American Anthropologist* 104(3): 922–931.

———. 2015. Islamically Marked Bodies and Urban Space in Two Egyptian Films. In Abir Hamdar and Lindsay Moore eds., *Islamism and Cultural Expression in the Arab World*. Durham Modern Middle East and Islamic World Series; 35. New York: Routledge, pp. 87–102.

Arms, Roy. 2008. *Dictionary of African Filmmakers*. Bloomington: Indiana University Press.

Birnbaum, Sariel. 2013. Egyptian Cinema as a Tool in the Struggle Against Islamic Terrorism, *Terrorism and Political Violence* 25(4): 635–639.

Farīd, Samīr. 2002. *Tārīkh al-Raqāba ʿalā al-Sīnamā fī Miṣr*. al-Qāhira: al-Maktab al-Miṣrī li-Tawzīʿ al-Maṭbūʿāt.

Ginsberg, Terri and Chris Lippard. 2010. *Historical Dictionary of Middle Eastern Cinema*. Historical Dictionaries of Literature and the Arts 36. Lanham: Scarecrow Press.

El-Khachab, Chihab. 2017. State Control over Film Production in Egypt, *Arab Media & Society* 23: 20–43.

Mansour, Dina. 2012. Egyptian Film Censorship: Safeguarding Society, Upholding Taboos, *Alphaville: Journal of Film and Screen Media* 4. Web. ISSN: 2009-4078.

Mosharafa, Eman. 2017. *Terrorism in Egyptian Cinema*. Saarbrücken: LAP LAMBERT Academic Publishing.

Selaiha, Nehad. 2013. The Fire and the Frying Pan: Censorship and Performance in Egypt, *The Drama Review* 57(3): 20–47.

Shafik, Viola. 2016. *Arab Cinema: History and Cultural Identity. Revised and Updated Edition*. Cairo: The American University in Cairo Press.

参考ウェブサイト

エルシネマ（https://elcinema.com、2020年1月8日閲覧）

『ドゥンヤー・アル=ワタン』ウェブ、2010年10月30日付
（https://www.alwatanvoice.com/arabic/content/print/156392.html、
2020年1月8日閲覧）

『アンバーア』紙電子版、2010年11月12日付
（https://www.alanba.com.kw/ar/art-news/149901/12-11-2010、2020
年1月8日閲覧確認）

『ワタン』紙電子版、2017年2月2日付
（https://www.elwatannews.com/news/details/1838945、2020年1月8日
閲覧確認）

『フィル・ファン』ウェブ、2017年7月3日付
（https://www.filfan.com/news/details/70024、2020年1月8日閲覧確認）

エジプト映画リスト[21]

『通りのカラークーン（*Karākūn fī al-Shāriʻ*）』1986年、監督：アフマド・ヤフヤー、
主演：アーディル・イマーム

『ミスター門番（*al-Beyh al-Bawwāb*）』1987年、監督：ハサン・イブラヒーム、
主演：アフマド・ザキー

『テロリズムとケバブ（*al-Irhāb wa Kabāb*）』1992年、監督：シャリーフ・アラ
ファ、主演：アーディル・イマーム

『テロリスト（*al-Irhābī*）』1994年、監督：ナーディル・ガラール、主演：アーディ
ル・イマーム

『大丈夫、僕らは侮辱されている（*Maʻalish Ihnā Binetbahdel*）』2005年、
監督：シャリーフ・マンドゥール、主演：アフマド・アーダム

『コンスルの息子（*Ibn al-Qunṣul*）』2010年、監督：アムル・アラファ、主演：
アフマド・サッカー

『エックス・ラージ（*Iks Lārj*）』2011年、監督：シャリーフ・アラファ、主演：
アフマド・ヘルミー

『火の国のアルムーティー（*al-Qarmūṭī fī Arḍ al-Nār*）』2017年、監督：アフ
マド・バドゥリー、主演：アフマド・アーダム

『誠の日本人（*Yābānī Aṣlī*）』2017年、監督：マフムード・カリーム、主演：
　　アフマド・イード

『考え違いは茶番のもと（*'Indamā yaqa'u al-Insān fī Mustaqna'i Afkāri-hi fa-
　　yantahī bi-hi al-Amr ilā al-Mahzala*）』2017年、監督：マリハーン・マー
　　リキー、主演：ムハンマド・サッラーム

『ダアドゥーシュ（*Da'adūwsh*）』2017年、監督：アブドゥルアズィーズ・ハシャー
　　ド、主演ヒシャーム・イスマーイール

『アルマト窮地に陥る（*Qarmaṭ Biyetmarmaṭ*）』2019年、監督：アサド・フー
　　ラードカール、主演：アフマド・アーダム

コラム 2　ラジオと知識人

相島葉月

文明の音色

　新しいメディアが登場すると、そのメディアのコンテクストに即した、これまでと違ったタイプの知識人の需要がうまれる。例えば、同じ視覚的メディアでも、テレビと YouTube とでは期待される表現形式が違うため、テレビで実績のある人が YouTube で人気がでるとは限らない。本コラムでは、ラジオの時代に登場したエジプトの公共知識人と公衆について考えてみたい。エジプトの国営ラジオ放送局は、他の中東諸国に先駆けて1934年に設立された。文明の響きであったラジオは、エジプト国民の教養と文化的な水準を向上させるツールとして目されていたのである。俳優や歌手といったアーティスト、作家、学者、アナウンサーなど、ラジオ番組に出演することで名声を獲得した人びとは、国民に教養をもたらす役割を担うこととなった。

　国営ラジオの開局と同じ1934年発刊の風刺雑誌『イスナイン』に掲載された詩は、「ラジオはかつて下手な床屋の髭剃りのようだった。しかし、今は色々なことを教えてくれる立派な学院だ。」と詠っている。BBC（英国放送協会）が1922年にラジオ放送を開始したのと時を同じくして、エジプトにも私営ラジオ局が開設された。しかし、「放送の質が低い」という名目で、1931年にイギリスの植民地政府によって閉鎖された。『イスナイン』の詩人がいう「下手な床屋の髭剃り」とは、私営ラジオ局のことであろう。私営ラジオ局の放送の質が実際に低かったかどうかは、資料が残っていないため分からない。西欧列強に比類なき文明国となることを目指すエジプトにとって、上質な国営ラジオ放送の開始は、国民国家としての水準が向上していることを象徴していたのである。

ラジオがもたらす新しい関係性

　ラジオ放送の登場は、演者と観衆の関係性に大きな変化がもたらした。イスラーム諸学を修めた者は、金曜礼拝で説教を行ったり、葬儀中にクルアーンの朗誦をしたりするに際し、観衆の要望を感じ取り、呼応する訓練を受けてきた。例えば、優れた説教師は、モスクの近隣住民が抱える悩みに気を配り、解決の道標となるような話題を金曜礼拝で提供することができる。一流の朗誦師は、観衆と応答しながらクルアーンの章句をよみ、彼らを信仰に導くことができるとされていた。一方、初期のラジオ番組は、演者がたった1人でスタジオから放送に臨まなければならなかった。彼らは観衆の思いを仮想しながら独演することとなり、ラジオ放送という文脈に即した新しい表現スタイルを体得する必要性に直面した。観衆が従来担っていた役割は消滅したのと同時に、匿名で不特定多数の個人として表象される、新しい公衆が形成されていったのである。

ラジオの時代の知識人

　1960–70年代を代表する「ラジオスター」として知られるアブドゥルハリーム・マフムードは、エジプトの公共知識人の特徴を体現した人物である。1932年にアズハル大学を卒業した後、フランスに渡りソルボンヌ大学で博士号を取得した。1940年にエジプトに帰国してからはアズハル大学で教鞭をとる傍ら、スーフィズムやイスラーム思想に関する一般書の文筆活動に励んだ。ナセル政権が掲げる社会主義政策により、自らの信仰についての知識に乏しいムスリムが多いことに危機感を抱き、1964年にイスラーム教育専門のラジオ放送局「聖クルアーン・ラジオ」の開設に尽力した。マフムードのラジオ講義は、古典文献を長々と引用して短い説明を加えるだけであったが、「天使の声を持つ」と呼ばれるほどの人気を博した。多くの番組は5–7分のモノローグであった。マフムードはラジオ局が決めたテーマについて制限時間内に平易な表現で端的に話すことに終始した。咳をしたり、言いよどんだ

りした場合は、音響スタッフがノイズを除去した。ラジオから流れるピカピカに磨き上げられた彼の声を、公衆は教養の源泉として聴いていたのである。1970年代に入り、マフムードがアズハルの要職に就くと、ラジオ局のスタッフが毎朝のように彼の自宅を訪れて、録音を行っていた。古典文献の暗記から始まるイスラーム諸学の研鑽に加えて、文筆活動で培った公衆に向けて語る表現力が、ラジオ放送に活かされたのであろう。

写真1　晩年のアブドゥルハリーム・マフムード
（出典）親族提供

写真2　エジプトのテレビ局のラジオ視聴室
（出典）2008年筆者撮影

第5章

放送メディアとイスラーム

宗教的言説空間の拡大と変容

千葉悠志

1. はじめに

　今日、インターネット、スマートフォン、SNSなどの普及に伴い、放送の衰退やポスト・マスメディア時代の到来が叫ばれることも増えた。中東でも新しいメディアの普及とともに、人びとの放送離れが進みつつあるとの声も聞かれる。その一方で、衛星技術やデジタル化といった技術的進歩の恩恵を受けて、近年の中東の放送はかつてなく繁栄しているようにも見える。例えば、衛星テレビ・チャンネルの数は現在1000以上あり[1]、またその多くがオンライン上での番組配信や、ウェブサイトとSNSを活用した情報発信にも積極的である。メディア利用に関する近年の調査では、人びとが日々放送に接する時間は年々減少傾向を示してはいるものの、それでもテレビが今なお主要な情報源であることも分かっている[2]。ゆえに、放送の消滅を説くのは時期尚早であり、インターネット時代が今後ますます進むなかで、放送がいかなる変容を遂げていくのかは興味深い問題と言えよう。

　さて本章では、中東における放送とイスラームとの関係を考察する。同地域における放送の歴史は1920年代にまで遡るが、実際に各国で放送が盛んになるのは、それから四半世紀ほど経ってからのことである。背景には、各国が西洋列強から独立を果たす過程で、情報主権を確立し、国民統合を進

めるために放送の力を必要としたことがあった。識字能力を要件とせず、語り手の肉声を伝えるのに優れた放送は、印刷メディア以上に中東社会へと与える影響が大きいと考えられてきた。そのため、ラジオと地上波テレビが中心だった時代には、一部の例外を除くと、どの国でも政府が放送を直接的な管理統制下に置くことで、政府以外の勢力による利用を制限したのである。当然のことながら、そうした状況下では競争原理が働くこともなく、放送内容も単調なものとなった。宗教に関する番組にしても、当時はクルアーンの朗唱や、金曜礼拝の際の説教などが流されるだけで、そこに登場する知識人も基本的には政府のお墨付きを受けたウラマーに限られることになった。

　1970年代以降になると宗教番組の割合が増やされたり、ウラマー以外の知識人が宗教番組に出演したりするなどの変化が見られ始めた。しかし、事態が大きく動くのは1990年代以降のことであり、そこには衛星放送の登場と普及に伴う中東のメディア自体の劇的な変化があった。特に、民間の衛星放送局が急増したことで、従来では目にすることのなかった知識人の見解に触れたり、より娯楽性の高い宗教番組を視聴したりすることが可能になったのである。メディア史的に言えば、視聴可能なチャンネルや番組の選択肢を著しく広げた衛星放送時代は、情報の引き出しを人びとに求めるインターネット時代の前身として位置付けることが可能である。以上を踏まえ、本章では中東の放送を、地上波放送時代と衛星放送時代に分けたうえで、各時代の放送の発達と宗教との関係を考察したい。

2. ラジオと地上波テレビの時代

　ある技術の社会的普及を考えるうえでは、そうした技術を導入した側と、それを受容した側の双方の動きを見ていくことが肝要である。中東では、複製印刷技術が用いられるまでに数世紀を要したのに対して、放送が普及するにはさほど時

間がかからなかった。その最大の要因は、放送が登場した時期が、まさに各国が西洋列強からの独立を果たそうとしていた時期と重なっていたことによる。つまり放送を導入することで、近代国家の建設を進めようとする政治的思惑が先行して存在していた。同時に、その受容を考えるうえでは、当時の各国が置かれた経済状況や、一部で見られた社会的反発（特に本書との絡みで言えば宗教層からの反発）に対する為政者たちの対応に触れる必要がある。ただし、放送と一口に言っても、ラジオとテレビではそれぞれ導入時期や過程が異なるため、本節では各メディアの発達過程を辿るなかで、放送と宗教との関係を検討したい。

(1) 無線通信とラジオ

　ラジオの技術的基盤となったのは無線通信であり、宗教色の強いサウディアラビアではその導入の際に社会的反発も見られた。1925年、のちの建国の祖となるアブドゥルアズィーズ・イブン・サウード（1876-1953年）が、二聖都の位置するヒジャーズ地方を征服し、その広範な領土を効率的に統治するために無線通信の導入を検討すると、これに対して一部のウラマーが難色を示した。この新規の技術が、欧米からもたらされた「悪魔の業」に違いないというのが彼らの理由であった［Boyd 1993: 138-139］。興味深いのは、これに対してイブン・サウードが講じた策である。彼は悪魔であればクルアーンを詠むことが出来ないはずだというウラマーに対して、そうした懸念を払拭すべく、無線通信からクルアーンの朗誦を流すという公開実験を行ったのである。

　当然のことながら実験は成功し、それによって導入反対派の意見が退けられることになった。1927年には、「我々（＝ウラマー）は、この問題に対して回答を差し控えるとともに、科学のことを知らずして、神や預言者の教えといった観点からこの問題について議論することはしない」［Boyd 1993: 139］というファトワーが出された[3]。以後、サウディアラビアでは無線や（その技術的延長である）ラジオに対して宗教層から

の批判がなされることはなかった。当然、それ以外の世俗化傾向を強めていた他国においては、サウディアラビアほどの宗教的反発が起きることはなく、ラジオは各国の経済状況や宗主国との関係などに応じて順次導入が進められた[4]。

しかしながら、中東各国におけるラジオ放送の本格的な幕開けは20世紀中葉を待たねばならなかった。その理由は、各国が西洋列強から独立し、国家建設を進めるべくラジオを活用する必要性を感じ始めたのが第二次世界大戦以降のことであったためである。特に、エジプトのナセル大統領（在任1956-70年）が域内覇権の拡大を目指して、他国に対するラジオを用いたプロパガンダの攻勢を強めると、周辺諸国（とくに王政の国々）の為政者たちは自国民への影響を恐れて、国内の放送設備の導入を急ぐようになった。こうした状況下でラジオに期待された役割は、国民統合や国民教育、また情報主権の確立などであり、そのため宗教に関する放送の優先順位は必然的に低いものとなった。ラジオで宗教に関するコンテンツが流された場合も、それは為政者が宗教保守層を懐柔するための手段に過ぎず、純粋に宗教目的の放送が行われていたとは言い難い状況にあったのである。

（2）地上波テレビ

1950年代半ば以降は、ラジオだけでなくテレビも各国で次々と放送が開始された。大半の国ではテレビの導入に際して社会的反発は起きなかったが、唯一とも言える例外がここでもサウディアラビアであった。同国では宗教的な理由から映画館が長らく禁止されていたが、テレビが導入される際にも、画面上の映像がイスラームの禁じる偶像崇拝にあたるのではないかとの懸念が宗教保守層から寄せられた。テレビ放送のための実験放送が行われた際には、導入反対派が放送施設を占拠し、送信機器を破壊するという暴挙に出た。事件はすぐに鎮圧されたが、放送は必然的に保守層を意識したものとなり、宗教番組の割合が増やされた。他国のテレビでは宗教番組の割合がおおむね5％以下に抑えられていたのに対して、

サウディアラビアでは一日の放送時間の約4分の1が、さらに保守層の多い地域では放送時間の約半分までが宗教関連番組に割かれた［Rampal 1994: 250; Boyd 1994: 155; Sakr 2001: 9］。

　一方、サウディアラビアを除くと、大部分の国では宗教的理由からではなく、経済的理由や技術的理由から放送の発達が遅れた。経済力を欠いた国が多かったため、放送に必要な資金を十分に捻出できなかったのである。もっとも湾岸諸国のように、1970年代以降のエネルギー資源から得られる莫大な富によって、最新の放送機材を導入できた国もあった。ただし、その場合であっても放送技術者や番組制作者たちが不足していたため、他国の企業や人材に頼らざるを得なかった。また、実際に放送を開始してからも、放送に必要な番組数を確保できない国が大半を占めたことから、番組の多くを他国から輸入しなくてはいけない状況が長らく続いた。

　そうしたなかで、他国と比べて圧倒的有利な立場にあったのがエジプトであった。早くから中東の映画制作の拠点となっていたことや、ナセル時代にラジオ放送が盛んに行われたことで、テレビ放送に必要となる番組制作者や放送技術者に関しても相当の人数を国内に抱えていた。そのため、同国でつくられたテレビ番組やドラマは他国へと輸出され、さらにエジプト出身の放送技術者や番組制作者たちも他国からの勧誘にあった。宗教のような特定のジャンルの番組に関しても同様で、エジプトの番組が他の中東諸国のモデルとなり、その制作のノウハウが様々な経路で他国に伝わった。例えば、1975年に設立されたイスラーム諸国放送機構は、加盟国間の番組共有を目的とした国家間組織であり、その初代事務局長には、後述の宗教番組「光の上の光」の制作などで知られたエジプト人プロデューサーのアフマド・ファッラージュ（1932-2006年）が就いた。設立から10年ほどの間に、約1500のラジオ番組と250のテレビ番組が加盟国間で共有されたと報告されている［Abu Bakr *et al.* 1985: 43］。

（3）モデルとしてのエジプト

　エジプトでは、1964年に宗教専門ラジオ「聖クルアーン・ラジオ」が開始された。当時、共産圏の国々との結びつきを強めており、さらに国内ではムスリム同胞団を含むイスラーム主義者らを弾圧していたナセルが、イスラーム的な正統性を宗教保守層に示す目的から同放送を開始したのは明らかである[5]。ただし、のちにアズハル総長も務めるアブドゥルハリーム・マフムードがその放送開始に尽力していたことからも分かるように、この放送が開始されたことによって、人びとは自宅に居ながらにして優れた学者の見解に触れることが出来るようになった（アブドゥルハリームとラジオに関しては、本書のコラム2を参照されたい）。放送開始当初は、一日8時間程度に過ぎなかった放送時間も、1970年までには一日12時間にまで延長され、以後も順調に放送時間を伸ばしていった［al-'Abd 2008: 115-136］。エジプトに続くようにして、他国も宗教専門のラジオを開始したが、エジプトのクルアーン放送はまさにそれらの先例となったのである[6]。

　テレビについても、エジプトは他国のモデルとなるような番組をいち早く製作していた。例えば、テレビ放送の開始からほどなくして始まった宗教番組「光の上の光」では、伝統的なイスラーム教育を受けたウラマー以外にも、学者や思想家などがゲストに招かれ、様々なテーマについて議論が行われた。今では当たり前となったトークショー形式の宗教番組のはしりであり、「人びとと知識人をつなぐ架け橋」になったとも評されている[7]。1977年の番組終了までに、約1000のエピソードが収録され、番組への出演をきっかけに知名度を高めた者も少なくなかった［Wise 2004］。なかでも有名なのが、「テレビ説教師」として知られるムタワッリー・シャアラーウィー（1911-98年）である。彼は1973年に同番組に出演して以来、イスラームの教えを分かりやすく人びとに伝えたことで人気を博し、その後も継続的にテレビに出続けた。エジプトの街角を歩くと、彼のポスターが張られており、今なお多くの人びとに愛されていることが分かる（写真1）。

写真1　店先に貼られたシャアラーウィーのポスター
（出典）筆者撮影、カイロ市内

　ただし、シャアラーウィー自身は伝統的な宗教教育を受けたウラマーであり、その教えも保守的性格が強かった［湯川 1993］。彼の番組も、タフスィール（啓典解釈学）のような伝統的な内容のものが多く、その意味では過去の宗教番組の延長線上に位置づけられるものである[8]。むしろ、テレビ時代の新しさに着目するならば、ムスタファー・マフムード（1921–2009年）の活躍に触れる必要があるだろう。彼は、カイロ大学の医学部に在学している最中から執筆活動を始め、その後は医療職に就くも、1960年代以降になると執筆家としての活動に本腰を入れるようになった。1970年代以降はテレビにも出始め、そして1980年代に入ると彼がパーソナリティーを務めるテレビ番組「科学と信仰」が大ヒットした（現在も彼の番組は衛星テレビ・チャンネルで再放送されている[9]）。

　同番組では、マフムードが科学、医療、哲学などに関わる個別テーマを毎回取り上げ、それらの内容を分かりやすく解説した。そして、科学がイスラームと相反するものでないこと、また科学的であることと良きムスリムであることが矛盾しないことなどを説いたのである［Khan and El-Wardany 2007］。当時は彼のようなウラマーではない者が、イスラームを語るこ

とに対して批判もあった。しかし、現在では彼がイスラーム復興へと果たした貢献が肯定的に評価されることも多くなっている。1990年代以降になると、衛星放送上で彼のような「俗人」[10]説教師が数多く登場することになるのだが、マフムードはまさに彼らの先駆者に他ならない。彼の書籍やブックレットは今も広く出回っており、彼もシャアラーウィーと同様に多くの人びとに愛されていたることが分かる（写真2）。

写真 2　マフムードの著書
（出典）筆者の所蔵資料

3.　衛星放送時代と宗教的言説空間の変容

（1）衛星放送時代の到来

　1990年代は、中東の放送を考えるうえでの分水嶺にあたる。湾岸危機（1990年）が起きた際に、エジプト政府はクウェートに派兵された自国兵士に向けて衛星放送を開始した。その後、湾岸諸国資本の民間放送局が（民間放送の設立が困難な中東

ではなく）ヨーロッパに拠点を置いて、衛星を用いて中東向けに放送を流すようになった。なかでも、中東放送センター（Middle East Broadcasting Center、以下 MBC）や、アラブ・ラジオ・アンド・テレビジョン（Arab Radio and Television、以下 ART）などのサウディアラビア資本の放送局は、その揺籃期から現在に至るまで中東を代表する衛星放送局として有名である。もっとも各放送局は、その所有者の影響を強く受ける傾向にあり、それぞれに個性がある。例えば、上述の MBC の場合、リベラル色が強く、娯楽番組の最大手として複数のチャンネルを流している。それに対して、同じく娯楽系大手の ART の場合、その所有者（サーリフ・カーミル）がイスラーム銀行の所有者であることからも分かるように、MBC と比較すると宗教保守層を意識した内容のチャンネルが多くなっている［Galal 2015］。中東初の宗教専門チャンネルとなった「イクラ（Qanāt Iqra'）」を流し始めたのも、この ART であった。

　さて、1990年代半ば以降になると、中東でも民間放送を認める国が現れたことで、それまでヨーロッパに拠点を置いていた放送局が中東へと拠点を移し、さらに新規放送局も次々と立ち上げられるようになった。1990年代末までに、国営と民間を合わせると100近くにまでチャンネル数が増えた。2000年代以降はペースが加速し、現在では受信機器さえあれば、誰もが数百のチャンネルを自由に見ることができる（有料のものまで含めれば1000以上のチャンネルを見ることができる）。当初、こうした放送を受信できるのは富裕層やホテルのような一部施設に限られていたが、その後は受信機器価格が大幅に下落したことで、一般家庭でも衛星放送の視聴が容易になった。放送の基準が、地上波放送ではなく衛星放送に移ったことは確かで、その意味で現在の中東の人びとは「衛星放送時代」に生きていると言えるだろう。

　それでは、それによっていかなる変化が起きたのか。まず、衛星を経由して各国に電波が流れ込むようになったことで、政府による情報統制が及びにくい放送状況が形成された。今なお各国政府は、様々な手段で放送局へと圧力をかけようと

しているが、自国以外に拠点を置いた放送局に対しては必ずしも十分に圧力をかけることができない状況にある。また国境を越えて放送市場が広がったことや、そこに民間放送が参入し始めたことで、視聴者獲得に向けた放送局同士の競争が激化している。視聴者をより意識した番組制作が行われるようになり、映画やスポーツ、ドラマ、経済ニュース、宗教といった特定のジャンルに特化した専門チャンネルも次々に開設された。一方、そうした「送り手」の変化に呼応するかたちで「受け手」たる視聴者側のメディア行動にも変化が起きた。つまり、それまでであれば人びとは国営放送から流されるチャンネルを見るか見ないかの、ほぼ二者択一の選択肢しかなかったわけだが、衛星放送時代が到来したことで、チャンネルや番組を選んで見ることが求められるようになったのである。能動性が受け手に求められるという点では、衛星放送はインターネット時代に近いところにある。

(2) 宗教的言説空間の広がり

　それでは、衛星放送時代が本格化するとともに、テレビで流される宗教番組にはどのような変化が見られるようになったのか。個別の放送内容に踏み込む前に、その全体像をあらかじめ把握することにしたい。例えば、図1はノースウェスタン大学カタル校の研究グループが発表した報告書の内容をもとに、中東地域で視聴可能な無料衛星テレビ・チャンネル数の変化と、その内訳を示したものである。ここからは、2012年から2014年にかけて約30％近くもチャンネル数が増えていることが分かる。また、総合放送のものよりも専門チャンネルが全体の大半を占めており、なかでも中東ならではと思われるのが宗教専門チャンネルの割合の多さである。どちらの年も、全体の全体の10％近くを宗教専門チャンネルが占めており、その数は専門チャンネルとしてはニュースに次いで多い[11]。

　実は、この宗教専門チャンネルの増加は、比較的短期間に生じた。最初のものは、ARTが1998年に始めた「イクラ」

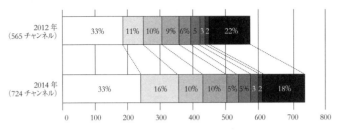

図1　中東で視聴可能な無料チャンネル数の変化[12]（2012-14 年）
（出典）［Northwestern University in Qatar 2016: 58］をもとに筆者作成

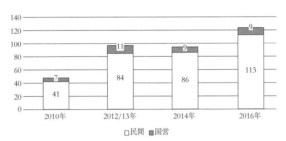

図2　中東における宗教専門チャンネル数の変化
（出典）［ASBU 2010; 2013; 2014; 2016］をもとに筆者作成

であるが、それが商業的に成功を収めると他局も相次いで同
様のチャンネルを開始するようになった。それによって、宗
教専門チャンネルの数は2010年までに50チャンネルに達した。
さらに、その数は一層増えたことで、現在ではその数が100
チャンネルを越えるまでになっている（図2）。なかには、イ
スラーム以外の宗教チャンネルも含まれているが、大部分は
イスラームに関するものである。図中には記されていないが、
2016年時点であれば、全体（122チャンネル）のうち、14％に
相当する17チャンネルがキリスト教系（すべて民間）、残る8

割以上がイスラーム系である。

　ただし、宗教的言説空間の広がりを考えるうえでは、デー
タに現われない部分についても触れる必要があるだろう。な
ぜならば、中東には宗教専門チャンネルに含まれずとも、宗
教色が強いチャンネルが少なくないためである。例えば、ヒ
ズブッラー系の「マナール（Qanāt al-Manār）」や、ハマース系
の「アクサー（Qanāt al-Aqṣā）」は、イスラーム主義組織が運
営していることから、他チャンネルと比べて宗教色が強い。
しかし、公的機関（例えばアラブ諸国放送連合）のカテゴリー上
は、これらは「教育チャンネル」と「総合チャンネル」にそ
れぞれ分類されており、宗教専門チャンネルに数えられてい
ない。この点を踏まえると、今日の中東には衛星の電波を通
して広範な宗教的言説空間が広がっていることが推察される
のである。

（3）宗教的言説空間の多様化／細分化

　こうした言説空間の拡大によってもたらされるのは、言説
自体の多様化である。地上波放送時代であれば、宗教番組自
体の放送時間が限られていたことから、テレビに出られるイ
スラーム知識人の絶対数が限られていた。また、国営放送以
外の選択肢がなかったため、そもそも体制にとって都合の悪
い知識人がテレビ上に出演することもなかった。しかし、衛
星放送時代には多チャンネル化が進んだことで時間的制約が
無くなり、また政府の統制が及びにくい放送状況が形成され
たことで、それまで「反体制的」との理由で目にすることが
なかった知識人をテレビ上で目にする機会も増えた。もっと
も、今日の宗教番組のジャンルは多様であり、十把一絡げに
それらを論じることは難しいだろう。エンターテインメント
性を重視したものから、より宗教色が前面に押し出されてい
るものまで内実は多用である。

　例えば、先に言及したイクラなどは、宗教的エンターテイ
ンメントとでも呼びうるもので、放送が開始されるや否や、
女性や若者を中心に人気を博した。アムル・ハーリドやムス

タファー・フスニーなど、同チャンネルをきっかけに中東で広く知られるようになった「俗人」説教師も少なくない。最近は、放送開始当初と比べて保守化したとも言われるが、それでも女性の説教師や実業家などを番組のホストとして数多く登用しており、他チャンネルと比べた場合にはまだまだリベラル色が強い[13]。いかに良きムスリムとして現代社会を生きるのか、また日々の悩みをイスラーム的にどう解決するのかといった、いわゆる「イスラーム的ライフスタイル」提案型の番組が数多く流されている点に特徴がある［Galal 2012: 64］。また、中東のメディア王ワリード・ビン・タラールが所有する娯楽系放送局 ROTANA 傘下の「リサーラ（Qanāt al-Risāla）」も、イクラと同様に娯楽的傾向が強い。ただし、これに対しては商業主義に陥りすぎているのではないかとの批判が行われることもある。

　一方で、宗教色がより前面に出ているものもある。例えば、中東で最大手の宗教系放送局として知られる「マジュド・ネットワーク（Shabaka al-Majd al-Faḍā'iya）」の場合、13 ものチャンネルを流している。宗教専門チャンネルとして登録されているのは 3 つだけだが、その宗教的傾向の強さはつとに知られるところで、それ以外のチャンネルにも少なからずその傾向が反映されている。マジュドに出演する知識人の多くはウラマーであり、そこで提供されるのは「極めてオーソドックスで伝統的な（サウディアラビア的）視点」［Al-Najjar 2012］である。また、エジプトに拠点を置く「ナース（Qanāt al-Nās）」も、保守的傾向が強く、しばしば番組で出されたファトワーが物議を醸した。ナースは、もともとサウディアラビア資本であったが、2013 年のエジプトにおけるクーデター後に閉鎖された。2015 年にはエジプトの大ムフティーを勤めたアリー・ジュムアを監修に迎え、放送を再開している。以前と比べて、過激なメッセージは少なくなったとも言われるが、それでも先のイクラやリサーラと比べた場合には保守的な傾向が強いのは明らかである。

　このように、衛星放送時代になったことで、中東では様々

な宗教番組を視聴することができるようになった。ただし、このことを宗教的言説の多様化であると単純に評価することには慎重でありたい。言説の多様化と細分化は表裏一体であり、社会的亀裂や混乱が助長される側面も否定できないからである。例えば、今日の中東で社会問題化している宗派感情の悪化には、メディアが深く関わっている［Mattiesen 2013; 千葉 2019］。その理由は、現在ではイスラーム系の放送局は、大きくスンナ派とシーア派系に分かれており、なかには視聴者の宗派感情を掻き立てる過激な内容のチャンネルや番組もあるためである。例えば、2011年に在英クウェート人のヤースィル・ハビーブによって設立されたファダクTVに対しては、イランの高位法学者4名が、その宗派間の憎悪を煽るような内容がムスリム内部の亀裂を深めるとして批判声明を出した[14]。ヘイトスピーチを拡散するチャンネルが、過激派の温床となることは十分に考えられよう。

5. おわりに

　本章では、20世紀中葉以降の中東における放送メディアの発達と宗教との関係を論じた。特に本章では、1990年代に入ってからの中東地域で急速に発達した衛星放送によって、従来の放送状況が大きく変わったこと、そしてそれは宗教番組のような特定のコンテンツの内容変化にも深く関わっていることを明らかにした。具体的には、衛星放送によってもたらされた変化を、宗教的言説空間の広がりと多様化／細分化という観点から分析した。

　冒頭でも言及したように、視聴可能なチャンネルや番組の選択肢を著しく広げた衛星放送時代は、情報の引き出しを人びとに求めるインターネット時代の前身として位置付けることができる。現在の中東地域におけるメディアの普及率や利用度に関する諸々の統計を読むと、インターネットの登場によって従来の放送が一方的に消滅したとは言い難い状況が続いており、今後の見通しとしては衛星放送とインターネット

が一層普及することで、多メディア・多チャンネル状況がさらに進んでいくと考えられる。さらに、放送と通信の融合がこれまで以上に進むなかで、中東のメディア状況はいかに変わり、それとともに宗教的言説にはいかなる影響が及ぶのか。メディアは今後も中東のイスラームを考えるうえでの鍵となるに違いない。今後は放送のみならず、複数のメディアの関係性を踏まえたうえで、メディアと宗教の相互作用を検討してくことが肝要となるだろう。

注

1　例えば2016年時点で、中東地域で視聴可能な衛星テレビ・チャンネルの数は実に1122にも達している［ASBU 2016: 12］。

2　［Northwestern University in Qatar 2018: 77］には、中東の複数か国を対象とした市民のメディア視聴に関する統計的データが記されている。

3　引用内の括弧は筆者による補足。

4　各国におけるラジオの導入時期には大きな違いがあり、1920年代半ば頃からラジオ放送が始まるエジプトに対して、湾岸諸国でラジオが開始されるのは1960年代以降のところも少なくなかった。また、中東のラジオ放送の発達を考えるうえでは、欧米諸国（特にドイツ、イギリス、イタリア）の役割に触れる必要もある。イギリスやフランスの統治が及んだ地域では、各国にラジオ放送用の施設や受信機器の設置が早かった。例えば、イギリス支配下のパレスチナでは、委任統治政府により放送局が建てられ、アラビア語のラジオ放送が流されていた。イギリス撤退後、現地の政府がその設備を接収するかたちでラジオ放送を開始したのが現在の放送の起源である［Rugh 1987: 123］。なお、当時のパレスチナ地域での欧米のラジオ政策については［奈良本 2010］が詳しい。

5　ナセル時代のエジプトのメディア政策に関しては、［千葉 2011］を参照。

6　アブドゥルハリームとラジオとの関係、また当時のエジプトにおける宗教と放送との関係については、以下の書籍が詳しい［Aishima 2016］。

7　"Nūr 'alā Nūr" Jisr bayna al-'Ulamā' wa al-Jumhūr, al-Ittiḥād, 3 June 2018, https://www.alittihad.ae/article/42271/2018/, accessed on 18 March 2020.

8　シャアラーウィーに関する日本語で書かれた研究は［湯川 1993］が詳しく、また最近では海外でもJ.ブリントンがこのテーマに関して書籍を上梓している［Brinton 2015］。

9　具体的には、サウディアラビア系の宗教専門チャンネルであるイクラから放送されている。

10　「俗人」説教師に関しては、［八木 2011］を参照されたい。

11　娯楽系の専門チャンネルは有料のものが多い。したがって、無料だけでなく有料のものも含めた衛星テレビ・チャンネル全体で見た場合には、ここで記した順位は少なからず変わるはずである。

12　報告書で示された2012年の合計は101%、2014年の合計は102%となるが、ノースウェスタン大学の研究グループが依拠した元データが参照できなかったことから、ここでは報告書のデータをそのまま用いることにした。

13　イクラのウェブサイト（https://tabie.net/, accessed on 20 June 2020）には、各番組の司会者が掲載されている。本章で言及したムスタファー・マフムードの「科学と信仰」も、現在イクラで再送されている。

14　Iranian Ulema Ban Fadak TV Movie Project, *IRNA*, 5 May 2016, http://www.irna.ir/News/82138040, accessed on 13 September 2018.

参考文献

千葉悠志. 2011.「ナショナル・メディアの時代——1950～80年代のエジプトにおけるメディア政策の変容」『日本中東学会年報』26(2): 57–88.

———. 2019.「宗派問題のメディア的基層——画期としての衛星放送時代」酒井啓子編『現代中東の宗派問題——政治対立の「宗派化」と「新冷戦」』晃洋書房, 105–125.

奈良本英佑. 2010.「パレスチナ放送と英国のプロパガンダ・ラジオ——独伊のアラビア語放送にどう応えたか」『経済志林』77(3): 361–384.

八木久美子. 2011.『グローバル化とイスラム——エジプトの「俗人」説教師たち』世界思想社.

湯川武. 1993.「現代エジプトの宗教と政治——シャイフ・シャアラーウィーの政治的意味」小田英郎・富田広士編『中東・アフリカ現代政治——民主化・宗教・軍部・政党』慶應義塾大学地域研究センター叢書, 勁草書房, 35–55.

al-'Abd, 'Āṭif 'Adlī. 2008. *al-Idhā'a wa al-Tilīfizyūn fī Miṣr: al-Māḍī wa al-Ḥāḍir wa al-Āfāq al-Mustaqbalīya*. al-Qāhira: Dār al-Fikr al-'Arabī.

Abu Bakr, Yahya, Saad Labib and Hamdy Kandil. 1985. Development of Communication in the Arab States: Needs and Priorities, *UNESCO Reports and Papers on Mass Communication*, 95.

Aishima, Hatsuki. 2016. *Public Culture and Islam in Modern Egypt: Media, Intellectuals and Society*. London: I.B. Tauris.

ASBU (Arab State Broadcasting Union). 2010. *al-Bath al-Faḍā'ī al-Arabī: al-Taqrīr al-Ṣanawī 2010*. al-Qāhira: ASBU.

――. 2013. *al-Bath al-Faḍā'ī al-Arabī: al-Taqrīr al-Ṣanawī 2012/13*. al-Qāhira: ASBU.

――. 2014. *al-Bath al-Faḍā'ī al-Arabī: al-Taqrīr al-Ṣanawī 2014*. al-Qāhira: ASBU.

――. 2016. *al-Bath al-Faḍā'ī al-Arabī: al-Taqrīr al-Ṣanawī 2016*. al-Qāhira: ASBU.

Boyd, Douglas A. 1993. *Broadcasting in the Arab World: A Survey of the Electronic Media in the Middle East (Second Edition)*. Iowa: Iowa State University Press.

Brinton, Jacquelene G. 2016. *Preaching Islamic Renewal: Religious Authority and Media in Contemporary Egypt*. California: University of California Press.

Galal, Ehab. 2012. 'Modern' Salafi Broadcasting: Iqra' Channel (Saudi Arabia). In Khaled Hroub ed., *Religious Broadcasting in the Middle East*. London: Hurst & Company, pp. 57–79.

――. 2015. Saleh Kamel: Investing in Islam. In Donatella Della Ratta, Naomi Sakr and Jakob Skovgaard-Petersen eds., *Arab Media Moguls*. London: I.B. Tauris, pp. 81–96.

Khan, Hassan and Haytham El-Wardany. 2007. Doctor Know: Knowledge, Faith, and the Amazing Dr. Mustafa Mahmoud, *Bidoun*, 2007 (Spring), https://www.bidoun.org/issues/10-technology, accessed on 3 February 2020.

Matthiesen, Toby. 2013. *Sectarian Gulf: Bahrain, Saudi Arabia, and the Arab Spring That Wasn't*. Stanford and California: Stanford University Press.

Al-Najjar, Abeer. 2012. 'Pure Salafi' broadcasting: Al-Majd Channel (Saudi Arabia). In Khaled Hroub ed., *Religious Broadcasting in the Middle East*. London: Hurst & Company, pp. 14–24.

Northwestern University in Qatar. 2016. *Media Industries in the Middle East 2016*, https://www.qatar.northwestern.edu/docs/publications/research/2016-middle-east-media-industries-report.pdf, accessed on 20 March 2020.

——. 2018. *Media Use in the Middle East 2018: A Seven-Nation Survey*, https://www.qatar.northwestern.edu/docs/publications/research/2018-media-use-survey-report.pdf, accessed on 20 March 2020.

Rampal, Kuldip R. 1994. Saudi Arabia. In Yahya R. Kampalipour and Hamid Mowlana eds., *Mass Media in the Middle East: A Comprehensive Handbook*. Westport: Grennwood Press, pp. 244–260.

Rugh, William. A. 1987. *The Arab Press: News Media and Political Process in the Arab World*. Syracuse and New York: Syracuse University Press.

Sakr, Naomi. 2001. *Satellite Realms: Transnational Television, Globalization and Middle East*. London and New York: I.B. Tauris.

Wise, Lindsay. 2004. Interview with Ahmad Al-Farrag, *Arab Media & Society*, 20 November 2004, https://www.arabmediasociety.com/interview-with-ahmad-al-farrag/, accessed on 3 February 2020.

第6章

神の言葉を伝えるメディア

クルアーングッズから SNS まで

二ツ山達朗

1. はじめに

　ムスリムとは神の教えに帰依する人びとのことであるが、神の教えを直接受けた人はこの世にはいない。神は被造物の世界に姿を現すことはなく、預言者ムハンマドは大天使ジブリール（キリスト教世界におけるガブリエル）を通じて啓示を授かるという最大の奇蹟を経験した。ムハンマドが生きていた時代には、その啓示は暗記され、朗誦されていたが、彼が没してから、それを記録し定式化する必要性が生まれ、死後20年あまりで書物のかたちとして編纂された（この書物のかたちをしたクルアーンをムスハフという）。この構図をメディア（媒介するもの）という視点から考察すると、大天使、預言者ムハンマド、クルアーンという媒介を経て、ムスリムは神から下された啓示を知り得ていることになる。

　このクルアーンを耳にする時も、目にする時も、実に様々なメディアを通して知り得ている。例えば、モスクにおいて宗教指導者から聞く、オーディオ機器やパソコンのスピーカーから耳にする、スマートフォンのアプリケーションを再生して耳にするといったように、そのメディアも一様ではない（宗教指導者から聞く場合にも肉声か、マイクやスピーカーなどの媒介を通すのかといった違いもあろう）。文字として記されたクルアーンの場合も、初期イスラーム時代のように獣皮紙や紙片に記

されたものから、印刷されたムスハフ、ポスターやカレンダー、ステッカー、食器に記されたものまで、実にさまざまなメディアがある。現代ではパソコンやスマートフォンを通してもそれを知ることができる。

　このように、クルアーンを伝えるメディアは、それが啓示されてから現在に至るまでの約1400年間で多様に変化してきた。その変遷について考えることは、イスラームの何が変化し、何が不変であるか（本著の序章の議論に即して言えば、宗教の可変的な部分と可変ならざる部分）について論じる上で、意義深いことであろう。一方で、クルアーンがどのようなものに記録され、そのものがどのように扱われてきたか、ということは十分に研究されてきたわけではないことが指摘されている[1]。そこで本章では、クルアーンを伝えるメディアがどのように変化してきたのか、その変化にイスラーム知識人たちはどのように反応し、民衆のムスリムたちはそれらのものをどのように扱ってきたのかについて考えてみたい[2]。とはいえ、イスラームの長い歴史のなかの、それらの全ての変遷を扱うことは難しいため、本章では近年の変化に焦点をあてながら、特徴的な事例をいくつか紹介する。これらの事例を通して、クルアーンを伝えるメディアについて、ひいては神の言葉について考察することを目的としたい。

2. クルアーンを伝えるメディアの変化

(1) 音として伝えるメディア

　イスラーム諸国を訪れたことがある読者なら、タクシーや商店の中など、あらゆる場所でクルアーンを耳にしたことがあるのではないだろうか。常に流されているクルアーンは、BGMのようですらある［Starrett 1995: 64; Hirshkind 2003: 346］。今ではありふれたこのような環境も、ラジオやテレビ、カセットテープなどのメディアでクルアーンが流されることが一般化したのは、わずか半世紀前の事である。エジプトの場合、

ラジオによるクルアーンの専門放送が始まったのは1960年代前半のこととされている [Larsson 2016: 178-180]。ラジオ放送は1920年代頃から始まっていたが、後述するようにクルアーンを録音・再生すること自体に批判的な意見もあり、クルアーンを専門的に放送するまでにある程度の時間を要した。

テレビの場合、中東諸国では1950年代後半から1960年前半にかけて、クルアーンの朗誦やアザーン（礼拝の呼びかけ）の放送が始まったが、その質が格段に向上し、チャンネル数が爆発的に増えたのは1990年代からとされている [Galal 2008: 167-168; Hroub 2012: 5; Ayish 2012: 13-15]。衛星放送については第5章に詳しいので、ここでは概略にとどめるが、1990年代後半からは宗教専門のチャンネルを有する衛星放送が始まり、中東地域は2000年代以降に、衛星放送でクルアーンを見聞きすることが一般化した。2014年の宗教専門チャンネルとして登録されているものは95チャンネルある [千葉 2019: 105-125]。これらの宗教専門チャンネル以外にも、国内放送局をはじめとして、あらゆるチャンネルでクルアーンの朗誦や宗教教育番組が組まれることもあるため、実際にどの程度テレビで宗教放送がなされているか把握するのは難しい。筆者は後述するように、チュニジアの地方の商店や事務所をフィールド調査の対象にしていたが、一日調査をしていれば、必ず何回もクルアーンの朗誦番組や説教師による宗教番組などを見かける（写真1）。BGMのようにクルアーンを流すことと同じく、クルアーンが朗誦されるテレビ番組を流したままにすることも、ありふれた光景となった。

これらのメディアも近年にはインターネットを通じたウェブサイト、アプリケーションにとって代わられつつある。ソフトウェアEnmacは、音声によるクルアーンの朗誦とテキストの表示、多言語への翻訳[3]、礼拝時刻と方角（キブラ）の通知、説教師による説教など様々な機能を有するものとして、2002年から開発されてきた [Larsson 2016: 185]。2012年12月時点ではクルアーンに関するアプリケーションは209あるとする報告もあるが [Khan and Alginahi 2013]、それ以降も爆発的

にその数は増しているため、現在では数えることが困難であろう。イスラーム専門のアプリケーションに加え、現在ではFacebook、Twitter、InstagramなどのSNS上でもクルアーンの章句を共有することが一般的となっている。

写真1　2019年2月22日ドゥーズの床屋にて筆者撮影。テレビからはクルアーンのユースフ章が流されている。

（2）文字として伝えるメディア

　一方でクルアーンを文字として記すメディアもめまぐるしい変化を遂げている。印刷技術の変遷とムスハフの変化については、第1章論文に詳しいのでここでは省略し、近年にクルアーンが記されているものの事例をいくつか紹介したい。スターレットはエジプトで、時計、ポストカード、キーホルダー、ポスター、ボードゲーム、室内装飾具、陶器、ステッカーなど、さまざまな商品にクルアーンが記されていることを報告している［Starrett 1995］[4]。このことは、チュニジアにおいても同様で、生活の場の至るところで関連商品を見つけることができる。さらには、それらの商品の多くは中国からの輸入品のため、イスラーム世界各地で同じグッズを目にすることもしばしばある。

筆者は2012年より、チュニジアの地方都市の店舗や事務所、工場内でクルアーンが記された装飾具がどのように扱われているかを調査してきた[5]。そこでのデータを参照すると、調査年による違いはあるが、34–47％の割合でクルアーンが記された装飾具を確認することができた。平均すると一店舗に2.65個のクルアーンが記された装飾具が確認できる計算になり、ムスリムの日常生活にいかにクルアーンが記されたものが浸透しているかが理解できる。それらはポスターや、ステッカー、カレンダータイプのものまで様々なものがあり、印字できるものであればあらゆるものにクルアーンが印刷され、ムスリムの空間に流布しているとも言える（写真2）。

　文字として記されたクルアーンを伝えるという意味でも、パソコンやスマートフォンは、これまでとは異なる変化をもたらしている。クルアーンを伝える上でのテレビやパソコン、スマートフォンなどのメディアの特徴の一つは、音声と同時に静止画や動画などの視覚情報を伝える事であろう。新しいメディアの特徴とそれをめぐる議論・実践についてはSNSに焦点をあてながら後述することとする。

写真2　2019年2月17日ドゥーズの床屋にて筆者撮影。床屋にはクルアーン装飾具が多く飾られる。

3. メディアの変化に対するイスラーム知識人と 民衆の反応

(1) イスラーム知識人たちの反応

　クルアーンを伝える新しいメディアが登場するたびに、イスラーム知識人たちは様々な議論を重ね、その是非を問うてきた。蓄音機によってクルアーンを録音・再生することができるようになった当初も、神が人に誦むことを命じた啓示を録音・再生することに否定的な見解を示すウラマーもいたとされる [Larsson 2016: 176-178]。このような理由から、クルアーンが専門的にラジオで放送されるようになるまでに、30年ほどの時間を要している。しかし、それらのメディアも使われ方や意図次第であるとする意見もあり、新しい宗教教育の媒体として徐々に普及していった。エジプトでは19世紀初頭から近代教育システムが導入された影響を受け、従来のクルアーン学校もその変革を迫られたことが、イスラーム知識人が新しいメディアを受け入れる契機になったとする考察もある [Larsson 2016: 176-180]。

　クルアーンが写本として書き写されていた時代から、活版印刷に変化した際にも、イスラーム知識人たちのあいだでは、様々な議論がなされた。15世紀末に活版印刷の技術が中東に伝わって以降、クルアーンの印刷が普及するまで3世紀以上を要している。林はその理由として、写本文化が同地ですでに広く定着していたため、印刷された量産品のムスハフに対する需要がなかったことを挙げている [林 2014: 352-353]。これらの理由以外にも、アルバンは、印刷機器に犬の皮が使用されている可能性があること、神の文字を機械によって印刷することがテキストの純潔さを損なうこと、実際に印刷されたものにいくつかの間違いがあったことなど、イスラーム知識人による懸念をまとめている [Albin 2001: 270]。しかしながら、アズハル学院のウラマーが校正にあたったことで、誤ったムスハフは市場に出回ることはないという信憑性が担

保され、印刷されたムスハフは受けいれられるようになって
いった。

　印刷技術の導入は、安価で大量のムスハフを社会にもたら
したが、使われなくなったものをどのように処分するべきか
という問題も生じた。前近代まではクルアーンが記されたも
のが豊富にあったわけではないので、ハディースなどにもそ
の扱いについての記述がなく、それらの処理をめぐる問題が
生じたのである［Svensson 2010: 39-40］。クックは使えなくなっ
たムスハフの扱いについて、ウラマーたちの見解をまとめ、
布で巻いて地面に踏みつけられない場所に埋葬する、ページ
からインクを拭き取って廃棄する、安全な場所に保管してお
くなどの対処法を紹介している［Cook 2000: 60-61］。

　さらに問題となるのは、先述のようなキーホルダーからカ
レンダーまであらゆる商品に記されたクルアーンであろう。
このことに関しても、イスラーム知識人たちは様々な反応を
見せている。ムスハフのかたちをしたペンダントなどの身体
装飾具については、それが読めないこと、日々の生活の中で
汚したり失ったりする危険があることなどの理由で、その
もの自体に批判的な見解を述べるウラマーもいる［Suit 2013:
22］。

　パソコンやスマートフォンを通じたデジタルメディアにつ
いてはどうだろうか。これらのメディアで最も問題となって
いる点は、その信憑性である。ザカリアらはインターネット
上のデジタルクルアーンについて考察した研究をレビューす
るなかで、改ざんや誤字がおきるリスクについての研究の重
要性を指摘している［Zakariah *et al.* 2017: 3077-3102］[6]。しかし、
それらのリスクが回避されるのであれば、問題ないと考える
イスラーム知識人は多い。エジプト出身の法学者で、アルジャ
ズィーラでも宗教番組を持つなどアラブ・イスラーム社会に
大きな影響力を有するカラダーウィーも、デジタルクルアー
ンには寛容な態度をとっていた［Larsson 2016: 187-188］。

　朗誦が録音された時代から、スマートフォンのアプリで再
生される時代まで、さまざまに変化するメディアに対し、イ

スラーム知識人たちは多様な議論を行ってきた。これらの議論は概して二点の理由をもって、新しいメディアを許容する方向に動いてきた。一点目は、新しい技術は使われ方や意図によって良くも悪くもなるため、技術自体に問題があるわけではないとする見解である。二点目は、そのメディアが神の言葉や教えを正しく伝え、イスラーム教育の機会を増やすのであれば、許容されるべきとする見解である。この二点をクリアすることで、時代とともに変わりゆくメディアはイスラーム知識人たちに受け入れられてきた。不変であるべき部分がウラマーたちによって認められることで、そのメディアは多様に変化を遂げてきたともいえる。では民衆のムスリムたちはこれらのメディアにどのように反応してきたのであろうか。

(2) 民衆ムスリムたちの反応

　まず、イスラーム知識人の見解の全てを、ムスリムが日常的に遵守するわけではないということを述べておきたい。どのようなメディアとその扱いが一般的となるかは、ウラマーの見解も影響するが、社会でどのようなコンセンサスが得られるかによる[7]。では市井のムスリムたちは新しいクルアーンを伝えるメディアの登場に、どのように反応しているのか、いくつかの事例を見ていきたい。

　先述のエジプトのクルアーンが記された商品の事例においては、スターレットはものの扱いには差があり、ミドルクラスとそれ以外のムスリムの間では、それらのものの効力についての考え方にも差があるとしている[8] [Starrett 1995: 59]。例えば留守にする商店の店頭や、駐車中の車のフロントガラスなどに、泥棒除けとしてムスハフを置いておくことの是非について、ムスリムたちの間では対応が別れる点であるとされる [Starrett 1995: 59; Suit 2013: 24]。身体装飾具のような常に携帯するムスハフの場合も、その扱いに差が生じるようである。スイトはエジプトでのフィールドワーク中に、ムスハフの形をした髪飾りを付けていた友人が、トイレに行く際にそれを外した事例を紹介している [Suit 2013: 22]。クルアーンが記

された商品は日常生活のなかで常に携帯できるのか、不浄の空間や状態の場合に外すことが望ましいのか、各ムスリムにより状況に応じた対応がなされている。

　筆者のフィールドにおける、クルアーンが記された室内装飾具の場合は、どのように扱われているのだろうか。このことを考える際に興味深いのはクルアーンの章句と企業の名前や連絡先が付されたカレンダーである[9]。カレンダーは、日付を教えるという役目からすると越年後には用途がなくなり、一般的には破棄されるものである。しかし、そこにはクルアーンの章句が記されているため、破棄してはならないものとなる矛盾を抱えている。その問題を回避するために、フィールドのムスリムたちは様々な対応をしていた［Futatsuyama 2020］。クルアーンのデザインをとりやめた事業主もいれば、カレンダーの部分を切り取り壁に貼って残す者、倉庫に大量のクルアーンカレンダーを保管する者、越年後も手を加えずに何年もそのままの状態で飾っている者までいた。クルアーンが付されたカレンダーという新たなメディアに対して、どのように行動するべきかという規範をそれぞれのムスリムが考え、さまざまな実践を行っているように思える（写真3）。

写真3　2019年2月21日ドゥーズの仕立屋にて筆者撮影。昨年以前のカレンダーも貼られたままになっている。

オンラインのデジタルクルアーンには、民衆のムスリムたちはどのように反応しているのだろうか。カーンらは世界中のムスリム668人にデジタルクルアーンについてのアンケート調査を行った[10] [Khan and Alginahi 2013]。その結果、クルアーンを朗誦する際に69％のムスリムは紙媒体のムスハフを好むという結果になった（5.4％がオンライン、17.8％が紙とオンラインの併用と回答）。オンラインでクルアーンを見た際に、間違いを発見したことがあると答えたユーザーは17.4％であった一方で、デジタルクルアーンの間違いに不安を感じているというユーザーが21％（時々感じるというユーザーが33.1％）いるという。また、それらの信憑性が保証されているものであれば使用したいと答えたムスリムが74.8％、信憑性を監視する機関の必要性があるとするムスリムが92.7％であった。つまりイスラーム知識人の懸念と同じく、民衆ムスリムたちもテキストの信憑性について問題視していることが理解できる[11]。このような懸念を払拭すべく、間違いをチェックする機関は存在するが、多くのウェブサイトやアプリケーションが乱立しており、追いつかないのが課題であろう[12]。

　クルアーンが記された装飾具やムスハフのかたちをした身体装飾具の扱いについて問題になっているように、デジタルクルアーンをインストールしたパソコンやスマートフォンをどう扱うべきかについては、これから議論になるかもしれない。クルアーンが入っているパソコンやスマートフォンは、トイレなどの不浄の空間に持ち込むべきではないのか、その端末を破棄する際はアンインストールするべきなのか。これらのメディアの扱いについては今後議論されてゆくであろう。

4. クルアーンの特徴と新しいメディアの特徴

(1) クルアーンとそのメディアの特徴

　クルアーンの重要性を示す特徴として頻繁に言及されることは、それが7世紀から変わることのないテキストというこ

とである。クルアーンのテキストを変えることは罪にあたり、今後どれほど時代を経てもそのテキストは変わることはない[13]。もう一つの特徴は、声に出して誦むことが重要視されているということである。クルアーンという言葉自体が、「声に出して誦まれるもの」というアラビア語から派生した言葉であり、音声として朗誦することが重要視されている[14] [cf. al-Nawawi 2003]。本章で紹介してきたいくつかの事例も、テキストとしての重要性を示している。例えばイスラーム知識人たちは、新たに登場する様々なメディアに対し、そのテキストが正しく伝わるという条件を満たすことで、それらの存在を認めてきた。このことは、不変的なテキストの重要性を示しているだろう。また使えなくなったムスハフの処分をめぐって、インクが水に溶けた後であれば破棄してもいいという事例も、記されたテキストの重要性を示唆しているようにも思える。

　一方で、本章で扱ってきたメディアの事例は、この朗誦されるべき不変的なテキストという特徴に対して、いくつかの別の視点を示しているようにも思える。まず、その音声テキストは必ず何かしらの物質的なものを媒介して伝わってきたという点である。聴覚を通じてそれを知るにせよ、視覚的に知るにせよ、それらの媒介は必ず目に見えて触れることができる何かしらのものを媒介して知覚されてきた[15]。次に、それらのものは一定の条件を満たす場合に限り、多様に存在するという点である。前項のイスラーム知識人による見解で触れたように、そのテキストや教えが正しく伝わっているのであれば、そのメディア自体に問題があるとはされず、その媒介は時代とともに多様に変化してきた。誦まれるべきテキストの重要性がそのメディアとしてのものの多様性を生み出しているとも言えるかも知れない。

(2) クルアーンを伝える SNS の特徴

　最後に、SNS上で投稿されるクルアーンについて考えてみたい。近年ではクルアーンの章句やドゥアー、著名なウラマー

による説教などのさまざまな内容がSNS上で投稿・共有されることが一般的となった。誰もが情報を発信することができ、大多数のユーザーに共有することができるSNSの特徴からして、テキストの改ざんや誤字のリスクは必然的に高くなる。個々人が日々投稿・共有するクルアーンの信憑性はどのように担保されるべきであるのか、議論が重ねられてゆくであろう。

　さらに、音声テキストに重要性がおかれているというクルアーンの特徴に対しても、SNSは影響を与えているようにも思える。近年のSNSは、Instagramに顕著にみられるように、音声・画像・動画・テキストやハッシュタグなどを一体化した投稿が促されるという特徴がある。実際にInstagram上ではアラビア語や英語、インドネシア語など様々な言語による「#クルアーン」、「#イスラーム」などのハッシュタグが付され、クルアーンの朗誦や動画、画像が何千万と投稿・共有されている[16]。これらの投稿はクルアーンの文字だけが示されているものもあるが、多くには何かしらの画像が貼られている。そこからは、音声テキストを重要視するクルアーンがSNSに投稿・共有される際に、音と画像、動画を一体化することが促されるというメディアの力がみてとれる。

　このような投稿で、クルアーンに付されるべき画像はどのように選別されるのであろうか。筆者が調査してきた室内装飾具の場合は、具体的なイメージが付される場合は少なく、テキストの装飾として唐草文様や文字文様などのアラベスクが一般的であった。しかし、Instagram上に投稿される画像を見る限り、異なる傾向がみてとれる[17]。また、「#アッラー」や「#預言者ムハンマド」といったハッシュタグも存在し、それらとともに特定の画像が投稿されているが、本来であればイメージが具現化されることのないそれらの存在と、特定の画像が結びつくことに問題はないのか。クルアーンの章句やハッシュタグにどのような画像を付すことが許され、好まれるのか、可変ならざる部分はどの点であるのか、今後も議論になってゆくのではなかろうか（写真4）。

写真4　2019年2月18日ドゥーズの写真屋にて筆者撮影。パソコンのデスク
トップはクルアーンの黎明章の一部が表示されている。

5. おわりに

　本章では、クルアーンを伝えるメディアの変化と、それに
対するイスラーム知識人や民衆ムスリムのさまざまな反応に
ついて、近年の事例に焦点をあてながら紹介してきた。朗誦
されていたものを耳にしていた時代から、ムスハフとして印
刷される時代を経て、現代のスマートフォン上のSNSで投稿・
共有されるクルアーンに至るまで、そのメディアは多様な変
遷を遂げている。今後も時代とともに神の言葉を伝える新し
いメディアが登場するであろう。今やクルアーンの朗誦会や
イスラーム教育、イスラーム金融も、スマートフォン上で
行うことが普及しつつある[18]。新型コロナウイルス感染症が
世界的な流行をおこし、モスクで礼拝することも、クルアー
ン学校に行くことも制限される社会のなかで、オンライン空
間でそれらの実践を代替させる動きは加速するかもしれない。
どこまでをオンライン空間で代替することが許され、どこま
でが代替不可能なのか、今後もイスラーム知識人や民衆ムス
リムによる試行錯誤は続いてゆくのであろう。

新しいメディアが登場する度に、イスラーム知識人や民衆のムスリムたちは、それが神の言葉やイスラームの教えを正しく伝えているか、可変ならざる部分を遵守しているかという点について案じ、熟慮し、それらのメディアを扱ってきた。その試行錯誤の過程こそが、ムスリムたちをイスラームの言説的伝統へと結びつける実践であるともいえる。神からの啓示を伝えるさまざまなメディアは、そのものの扱いをめぐる反応を通して、ムスリムの伝統をかたちづくり、敬虔なムスリムという主体をかたちづくっている。

　哲学者のグレアム・ハーマンはラトゥール哲学について解説するなかでメディアについて言及しており、世界に透明な中間項はどこにも存在せず、あらゆるものは、実存の一つの点から次の点へと力学的翻訳を形成し、それ自体で新しい仕事をする媒介項であるとしている［Harman 2010: 15］。このことは本章でみてきたような、クルアーンが意味を伝えるテキストであると同時に、常に実践を喚起するものであるという事例とも重ねて考えることができる。メディアを媒介してクルアーンが伝わると同時に、そのメディアがムスリムの実践をかたちづくる力学的翻訳になり、敬虔なムスリムをかたちづくっている。神の言葉を伝えるメディアが重要であるのは、メッセージを伝えていることのみならず、それ自体がムスリムを実践に導いていることにもあるのではないだろうか。

　このことはクルアーンを伝えるメディアのみならず、クルアーン自体についても当てはまるかもしれない。本章の冒頭で、クルアーンもまた神からのメッセージを天使やムハンマドを通じて伝えている媒介であると述べた。我々はメディアというと、何かを伝えるための中間的存在であり、どのように伝わるのか、正確に伝わるのかなどと考えがちである。クルアーンを通して伝わる神の存在について気になる読者もいるかも知れない。啓示の発信元である神について「イスラームの神はどういう存在か」という素朴な疑問を受けることもある。しかし、イスラームの神は人間には知ることも想像することもできない超越神とされている。ムハンマドでさえい

くつかの媒介を通して神の言葉を奇蹟的に啓示されたのであり、その存在は人間には想像することが許されていない。クルアーンは超越神の言葉を伝えながら、それについての姿を伝えない（伝えてはいけない）メディアということになる。神の啓示はクルアーンを介し、そのメッセージはさらに様々なものを媒介してムスリムに伝わるという、媒介が幾重にもかさなる構図になっているが、そのメディアの発信元は想像さえすることが叶わない。このように考えると、クルアーンとクルアーンを伝えるメディアの重要性は、何かを伝えることのみならず、それ自体がムスリムを実践に導くことにもあると言えるのではないだろうか。

注

1 クルアーンについての神学的、歴史的、政治的な研究がなされてきた一方で、それを伝える物理的性質について研究がなされてこなかった点が指摘されている［cf. Svensson 2010: 31-32; Suit 2013: 1-2］。近年のデジタルクルアーンやインターネット上のイスラーム教育の動きについては、ある程度の議論がなされているが、本章ではいくつかの研究を紹介するにとどめ、別稿で扱うことにしたい。

2 イスラーム知識人と民衆ムスリムの概念については様々な議論があるが、本章では明確な線引きはせず、ウラマー（イスラーム諸学をおさめた知識人）などの宗教エリートをイスラーム知識人とし、イスラームを暮らしのなかに溶け込ませて実践している人びとを民衆ムスリムと呼ぶことにする［cf. 赤堀 2008: 7］。

3 英語、フランス語、ドイツ語、トルコ語、マレーシア語、インドネシア語、ウルドゥー語などに翻訳されている［Larsson 2016: 185］。なお、クルアーンはアラビア語のみを原典としているため、厳密には多言語に翻訳されたものは解釈の一種とされるのが一般的である。

4 スターレットの考察では、経済開放後の1970年代後に、経済的個人主義が浸透し、貧富の差が激しくなったことにより、大衆は宗教へと望みを託し、宗教的な消費財の需要が増していったとしている［Starrett 1995: 65］。

5 チュニジア南部のケビリ県内のDouz行政区で人口3万8000人程度。調査は2012年12月20日–2013年2月15日、2014年12月21日–2015年2月2日、2017年8月13日–2017年8月24日、2019年2月15日–2019年2月27日に行った。

6 ザカリアらは大学などの多くの教育機関で、デジタルクルアーンが導入されている一方で、ソフトの開発者には統一された規定がないという問題も指摘している［Zakariah *et al.* 2017: 3077–3102］。

7 例えばクックやスペンソンが例としてあげるように、コインに記されたクルアーンは、非ムスリムは布を用いて使うようにとウラマーは判断したとしても、それを遵守することは現実的ではなく、結局は実践されなかった［Cook 2000: 59–60; Svensson 2010: 36］。

8 それらの商品は購入された後には、家に置かれる際に、敬意をもった場所に配置されるべきだと報告している［Starrett 1995: 53–59］。しかしながら、筆者が調査した限りではチュニジアの空間内においては、クルアーンが記されたものが他のものと差があるわけではなかった。

9 新年に事業主が懇意にしている顧客らに、無料で配布する宣伝も兼ねたカレンダーであるが、そのデザインとしてクルアーンの章句が好まれる。

10 調査の対象は、サウディアラビア55.7%、パキスタン15.4%、バングラデシュ2.1%、マレーシア2.1%、その他の国21.7%、回答なし3.0%とあり、調査対象者には差があることを付記しておく［Khan and Alginahi 2013: 158–159］。

11 一方で、このアンケートではデジタルクルアーンを忌避する理由として、単に文字が小さくて見にくい、目が疲れるなどの理由も挙げられているため、全てが信憑性にかかわる問題ではない。

12 掲示板の投稿におけるクルアーンの間違いを検出するシステムも開発されており、62%の精度で行えている［Zakariah *et al.* 2017: 3077–3102］。

13 現在世界に存在するクルアーンは第3代カリフのウスマーンが誦んでいた写本でウスマーン版と呼ばれ、他の版は存在しない。それゆえクルアーンのテキストは無二であるが、母音記号は付けられていないため、読誦と解釈に細かな違いは生じる。

14 そのため「読む」ではなく「誦む」のほうを用いるのが一般的である。

15 クルアーンの全ての章句を暗記しているハーフィズと呼ばれるムスリムがそれを暗誦・朗唱する際は、いかなるものも媒介していないとも言えるかも知

れないが、それでも彼／彼女の身体は用いているとも言える。朗誦の重要性が否定されるわけではなく、それらの行為も何かしらの物質的な環境の中でとらえることができる。

16 クルアーンの朗誦のみならず、各ムスリムの実践などが、それらのハッシュタグで投稿・共有される場合もある。これらの行為について分析することも興味深い。どのような行為がどのようなイスラームの単語と結びつけられるのか、各ムスリムのSNSから理解できる。

17 筆者がみたところ、マッカ・マディーナ・エルサレムのなどの聖地、モスク、朗誦家・説教師・イマーム・子供などの人間、空・月・海・山・森・花・植物などの自然が大多数を占める。

18 さらには、ハラール食品についての情報や、ヒジャブの被り方もSNS上で共有されるという新たな実践をつくりだしている。Instagramでは「#hijabers」、「#hijabstyle」などのハッシュタグで数千万件の投稿がなされ、若い女性の自己表現の場になっている［Pramiyanti 2019］。

参考文献

赤堀雅幸編. 2008.『民衆のイスラーム——スーフィー・聖者・精霊の世界』山川出版社.

千葉悠志. 2019.「宗派問題のメディア的基層——画期としての衛星放送時代」酒井啓子編『現代中東の宗派問題——政治対立の「宗派化」と「新冷戦」』晃洋書房, 105–125.

小杉泰・林佳世子編. 2014.『イスラーム 書物の歴史』名古屋大学出版会.

Ayish, Muhammad. 2012. Religious Broadcasting on Mainstream Channels: Al-Jazeera, MBC and Dubai. In Khaled Hroub ed., *Religious Broadcasting in the Middle East*. London: Hurst & Co Ltd, pp. 13–33.

Albin, Michael W. 2001. Printing of the Qur'ān. In Jane Dammen McAuliffe ed., *Encyclopaedia of the Qur'ān*, Leiden: Brill, pp. 264–276.

Cook, Michael. 2000. T*he Koran: A Very Short Introduction*. Oxford: Oxford University Press.

Galal, Ehab. 2008. Magic Spells and Recitation Contests: The Quran as Entertainment on Arab Satellite Television, *Northern Lights: Film & Media Studies Yearbook* 6(1): 165–179.

Futatsuyama, Tatsuro. 2020. Thinking Islam Through Things: From the Viewpoint of Materiality of the Qur'ān, *Kyoto Bulletin of Islamic Area Studies* 13: 69–80.

Harman, Graham. 2010. *Prince of Networks: Bruno Latour and Metaphysics*. Melbourne: re. press.

Hirschkind, Charles. 2006. *The Ethical Soundscape: Cassette Sermons and Islamic Counterpublics*. New York: Columbia University Press.

Hroub, Khaled. 2012. Introduction. Religious Broadcasting: Beyond the Innocence of Political Indifference. In Khaled Hroub ed., *Religious Broadcasting in the Middle East*. London: Hurst & Co Ltd, pp. 1–12.

Larsson, Göran. 2016. *Muslims and the New Media: Historical and Contemporary Debates*. New York: Routledge.

Khan, Muhammad K. and Yasser M. Alginahi. 2013. The Holy Quran Digitization: Challenges and Concerns, *Life Science Journal* 10(2): 156–164.

al-Nawawi. 2003. *Etiquette with the Quran: al-Tibyān fī Ādāb Ḥamalat al-Qur'ān*. Chicago: Starlatch Press.

Pramiyanti, Alila. 2019. Self-Presentation of Indonesian Hijabers on Instagram. In Proceedings of The 2nd International Conference on *Advanced Research in Social Sciences and Humanities*.

Schlosser, Domonik. 2013. Digital Hajj: The Pilgrimage to Mecca in Muslim Cyberspace and the Issue of Religious Online Authority, *Scripta Instituti Donneriani Aboensis* 25: 189–203.

Solahudin, Dindin and Moch Fakhruroji. 2020. Internet and Islamic Learning Practices in Indonesia: Social Media, Religious Populism, and Religious Authority, *Religions* 11(1): 19.

Starrett, Gregory. 1995. The Political Economy of Religious Commodities in Cairo, *American Anthropologist* 97(1): 51–68.

Suit, Natalia. K. 2013. Muṣḥaf and the Material Boundaries of the Qur'ān, In James Watts ed., *Iconic Books and Texts*. Sheffield: Equinox Publishing, pp. 1–30.

Svensson, Jonas. 2010. Relating, Revering and Removing: Muslim Views on the Use, Power and Disposal of Divine Words, In Kristina Myrvold ed.,

The Death of Sacred Texts: Ritual Disposal and Renovation of Texts in World Religions. Farnham: Ashgate Publishing, pp. 31–54.

Zakariah, Mohammed, Muhammad Khurram Khan, Omar Tayan, and Khaled Salah. 2017. Digital Quran Computing: Review, Classification, and Trend Analysis, *Arabian Journal for Science and Engineering* 42(8): 3077–3102.

コラム3　インターネット時代における
宗教指導者と信徒

近藤洋平

　イスラーム世界において、宗教的知識は、長らくウラマー（イスラーム諸学を修めた知識人）の手の中にあった。学者は、この世における預言者の相続人、信徒たちの導き手、などと形容された。ウラマーではない信徒は、宗教的事項についてウラマーに従うことが求められた。ウラマーは、信徒たちからの宗教的依存に対して、来世における救済獲得のためのイスラームに関する知識や宗教実践を、彼らに教えた。ウラマーとそれ以外の信徒たちは、宗教上の双務的関係あるいは信頼関係を構築し、それにより社会に秩序が形成された。さらにウラマーの間には、経験や知識の程度などによって序列が形成され、その上位者は、宗教指導者として人びとに対して影響力を持った。

　インターネットの登場と普及は、上述のウラマーによる宗教的知識の独占という状況を激変させた。すなわちインターネットに接続する環境にあれば、誰でもイスラームに関する知識や情報を入手し、それらを自ら解釈し、また実践することができるようになった。それではインターネットの普及と利用は、ウラマーや宗教指導者と、一般信徒たちとの関係に、何らかの影響を及ぼしているのだろうか。

　アラブ・バロメーター（The Arab Barometer）は、面接や電話を用いた質問紙調査法によって、中東・北アフリカに暮らす人びとの動向を統計的に把握しようとする、アメリカのプリンストン大学やミシガン大学などによる学術プロジェクトである。同プロジェクトは2006年から調査を始め、得られたデータを、質問項目とともに、ウェブサイト（https://www.

arabbarometer.org/）で公開している。政治、経済、外交など多岐にわたる分野を扱った第5期調査（2018-19年）は、12の国と地域で実施された。以下、同調査のデータをもとに、現代の中東・北アフリカ地域におけるイスラームの宗教指導者と信徒の関係を、簡潔に紹介しよう。

　イスラームの宗教指導者と信徒の間の信頼関係は、各国ごとに様々だが、全体としては、宗教指導者たちへの信頼度は、中程度から低めである。質問紙には、「あなたは宗教指導者たちをどれくらい信頼しますか？」（Q201b13）という項目がある。図が示すように、この項目の中で、①「大いに信頼する」あるいは②「信頼する」と回答した割合が、③「あまり信頼しない」もしくは④「全く信頼しない」と回答した割合よりも高くなった国は、エジプト（①＋②：③＋④＝55：43）とスーダン（同52：47）の2か国のみである（回答拒否や四捨五入などにより、比率の合計が100にならない場合がある。以下同じ）。わからない、あるいは回答拒否を選択した割合が多いモロッコ（45：48）とアルジェリア（44：51）では、割合が拮抗している。そしてイエメン（44：55）、ヨルダン（42：55）、イラク（40：57）、チュニジア（32：59）、レバノン（37：62）、パレスチナ（30：65）、リビア（18：79）では、信頼していないとする割合が高い。ちなみに、①と回答した割合が最も高い国は

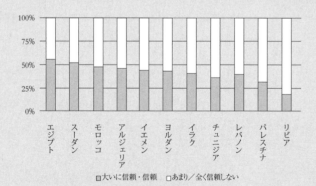

　図　宗教指導者と信徒の間の信頼関係
　（出典）アラブ・バロメーターをもとに筆者作成

イエメン（17.8％）で、逆に最も低い国はレバノン（3.0%）である。また④を選択した割合が最も高かった国は、リビアで、その割合は58.6％に達する。反対に、④の選択が最も低い国は、エジプト（14.3%）である。

　この質問項目Q201b13を、インターネットの利用状況に関する項目「平均して、あなたはどれくらいの頻度でインターネット（スマートフォン、タブレット含む）を利用しますか？」（Q409）とかけ合わせて集計すると、興味深い傾向を指摘することができる。すなわち、リビアを除いた国と地域では、「インターネットを一日中利用する」と回答した人は、Q201b13で①を選択する割合が回答者全体の平均よりも低くなり、逆に④の割合が高くなる。一方、「インターネットを利用しない」と回答した人は、Q201b13項目で①を選んだ割合が回答者全体の平均よりも高く、逆に④が低い割合となっている。「インターネットを利用しない」人びとには、世代的、経済的、地理的など、様々な背景を指摘できようが、今後、このインターネット未利用者層の減少は、人びとの宗教指導者たちに対する信頼のさらなる低下を、あるいはその逆に、宗教指導者への信頼の低下は、人びとのインターネットへの接続とそれへの依存の増加をもたらすことになるかもしれない。

第 2 部

宗教と制度的ネットワーク

第7章

難民を救うイスラーム的 NGO

イスラームに根ざす支え合いの仕組み

佐藤麻理絵

1. はじめに

　現代イスラーム世界が抱える課題は多岐にわたる。特に、中東諸国の多くは長期にわたる独裁政権を抱え、「アラブの春」も挫折するとますます混乱していった。その最たる例が、内戦が泥沼化し、国民の半数以上が難民化したとされるシリアであろう。シリア難民の発生は世界最大の人道危機とも称され、彼らの大半は主に周辺国のトルコ、レバノン、ヨルダンでの避難生活を余儀なくされている。いずれも難民受け入れの矢面に立っており、その比率は2015年をピークに欧米が直面した数の比でない[1]。そもそも欧州はこれを「移民危機（Migration Crisis）」と呼び、安全保障面での脅威を強調するなど、難民の流入を食い止めようと必死であったことは記憶に新しい。

　一向に情勢が安定しないシリアを目の前にして、母国を後にした人びとの避難生活も終わりを見せる気配がない。いったい彼らはどのように日々の生活を営み、8年以上にもわたる長期化した難民状態を生き抜いているのだろうか。彼らの流入に直面したホスト社会の人びとはどのような姿勢を示し、何らかの支援や対策は講じられたのだろうか。国の政策や国際社会の取り組みが各国の難民受け入れを左右することはもちろんであるが、ホスト社会では何が起きていたのか。本章

では、こうした問いに答えるべく、ヨルダンを事例に難民を
めぐる社会内部に迫っていく。

　シリア難民を数多く受け入れているヨルダンは、ムスリム
が人口の9割以上を占める。イスラームを信仰するムスリム
が多数派を構成する社会では、信仰の度合いこそ個人差があ
るものの、イスラームの価値は広く共有されている。その程
度を定量的に捉えることは難しいが、日常生活の様々な場面
で見られるような事例から示すことが出来るだろう。例えば、
ラマダーン月（断食月）になると、イスラームにおいて推奨
されているサダカ（任意の喜捨）を貧者や孤児に対して支払う
人や、近隣に羊肉などの食料を配る姿が多数見られる。イス
ラームは貧者や孤児への支援を奨励しており、このことはイ
スラームの聖典であるクルアーンやムハンマドの言行録であ
るハディースに明記されている。預言者ムハンマド自身が孤
児であったことから、孤児への支援はムスリムが特に重視し
ている活動の一つである。すなわち、イスラームには相互扶
助の原理が内在しており、ムスリムによって日々の生活のな
かで実践され、その一部は可視化されるのである。

　こうしたイスラームの教えに基づく貧者への支援や孤児
の保護といった活動は、筆者が呼ぶところのイスラーム的
NGOによって広く担われている。イスラーム的NGOが展開
するのは救いの手を差し伸べる支援の数々であり、中東地域
が直面している難民受け入れの現場は、その活動の中心となっ
ている。本章では、イスラームが重視する相互扶助の原理や、
イスラーム的価値規範に基づき活動を展開するイスラーム的
NGOが難民問題に果たす役割に焦点を当てたい。

2.　イスラームの義務と伝統にみる支え合いの
　　仕組み

（1）宗教的な義務行為としてのザカート
　イスラームには「六信五行」と呼ばれる5つの宗教的な義

務行為と、6つの実在を信じなければならない存在がある。
五行の3つ目に掲げられるのがザカートであり、「定めの喜
捨」とも呼ばれるものである。これは、所有する財産に応じ
て一定量または一定額を納めるものであり、共同体のなかの
困窮している者や寡婦、孤児などを助けるために用いられて
きた。また、好きな時に好きな額を自発的に納めるサダカも
ある。ザカートやサダカについてイスラームの聖典クルアー
ンには、以下のように記述されている[2]。

　　「礼拝の務めを守り、定めの喜捨をしなさい。あなたが
　たが自分の魂のために行ったどんな善事も、アッラーの
　御許で見出されるであろう。誠にアッラーは、あなたが
　たの行うことを御存知であられる。」（「雌牛章」第110節）

　　「本当に信仰して善行に励み、礼拝の務めを守り、定め
　の喜捨をなす者は、主の報奨を与えられ、恐れもなく憂
　いもない。」（「雌牛章」第277節）

　これらの章句は、礼拝と並んで定めの喜捨の重要性を説い
ていることが分かる。義務行為を怠らず善行を積み上げた者
は神からの報奨が見込まれ、最終的には死後に天国へと行く
ことが約束されるのである。ムハンマドの言行録であるハ
ディースにも、同様のことがより具体的な事例をもって表現
されている。例えば以下のようなものが挙げられる。

　　「アブー・フライラは、アッラーの使徒が次のように述
　べたと伝えている――人びとは全身で、陽が昇る毎日、
　喜捨（サダカ）をすべきです。二人の人の間を公正にす
　るのも喜捨です。誰かが乗り物（の動物）に乗り、また
　がるのを助けるのも、またその人の荷物を積むのを助け
　るのも喜捨です。よいことば（を言うこと）も喜捨ですし、（マ
　スジドでの）礼拝に向かって歩む一歩一歩にも、喜捨があ
　ります。道の障害物を取り除くのも、喜捨です。」（〔小杉

2019: 505] 中のハディースを引用）

　上記ハディースの文言からは、人のために何か行動に起こすこと、ひいては、よい言葉を発することも喜捨として捉えられており、毎日行うよう推奨されていることが分かる。クルアーンやハディースのことばが示すように、イスラームは弱者救済を重んじる宗教であり、様々な場面で人のために行動することが求められる。これは後に報奨という形でムスリム一人ひとりに還ってくるもので、日頃から善行の積み重ねが推奨されているのである。

　現代においても、ムスリムが貧者を支援するという行為の背景には、神の恩寵を得たい、あるいは来世で救済されたい、という動機がある。貧しい人や支援を必要とする人びとに手を差し伸べる、こうした行為は他者を救うための支援でありながら、己の死後を決定づけたいという利己的な側面も有しているのである。ただし、実際の支援の現場では利己的な側面を口にする人は少なく、そうした声はあまり聞かれないのが実情だ[3]。筆者が支援に従事する人びとに聞き取りを行った際にも、「眼の前に助けを必要としている人がいるから活動している」、「イスラームでは孤児や貧しい人を支援することを教えているから」といった声が多い。語りで明示的に述べられなくとも、善行の積み上げは神からの報酬へ繋がると明確に認識されているからこそ、貧者支援は活発に行われ、巡り巡って社会的弱者の下支えとして機能しているのである。

　もちろん、誰もが日々こうした貧者支援に従事しているわけではない。ただ、中東では難民という形で弱者が大量に押し寄せている実態があり、支援の手を必要とする人びとと接する機会は日常に溢れている。脆弱な難民を目の前にした人びとはどのような反応を示しているのか、その一端を知ることが出来る資料がある。ヨルダンの北部イルビドにあるヤルムーク大学難民・避難民・強制移住研究センターは、2015年前半に「シリア人の避難の影響に対するヨルダン人の意識調査」を実施した［'Uthāmna and al-Mūmanī 2016］。調査地はイ

ルビド、ラムサー、マフラクといずれもヨルダン北部に位置する都市であり、シリア人の居住が多い地域である。同調査は、これらの都市に住むヨルダン人1600人を対象にして行われた。幾つもの質問事項のなかでも、以下の質問への回答が興味深い[4]。

Q1. わたしはヨルダンに避難してくるシリア難民を第一義的に次のように捉えている。(単一選択)

□宗教的義務 □民族的義務 □人道的義務
□対応しなければならない現実

	人数	%
宗教的義務	611	38.2
民族的義務	158	9.9
人道的義務	451	28.2
対応しなければならない現実	380	23.8
合計	1600	100

Q2. わたしはヨルダンに住むシリア難民を_____として接している。(単一選択)

□シリア人 □アラブ人 □同胞 □外国人

	人数	%
シリア人	317	19.8
アラブ人	651	40.7
同胞	580	36.3
外国人	52	3.3
合計	1600	100

Q1では、シリア難民の受け入れを宗教的な義務として捉えている人が最も多いことが示されている。ヨルダンの人び

とは、戦火を逃れるシリア人の受け入れをイスラームの宗教的な義務行為として捉えており、安寧の地を提供する必要性を認識している。言い換えれば、イスラームには宗教的な義務としての弱者救済があり、推奨されていることに彼らは自覚的である。Q2の回答では、シリア難民はヨルダン人にとって同じ言語を共有する「アラブ人」として、さらには同じ宗教を信仰する者同士「同胞」として捉えられていることが示されている。

　ヨルダンはシリアと地続きであり、言語や文化を共有することから、彼らは全くの異邦人ではない。さらにはイスラームを信仰する者が多数であり、ヨルダンのシリア難民受け入れは大きな抵抗なく実現している。事実、これまでシリア難民受け入れに対する抗議デモや衝突は発生していない[5]。雇用が奪われている、家賃や物価が高騰している、といった不満は聞かれるが、彼らを排斥しようという大規模な動きにはつながっていないのである。

(2) イスラーム的 NGO の展開

　さて、ムスリムの宗教的な義務行為は、ムスリム一人ひとりによる日々の生活のなかでの実践に加えて、現代ではNGO[6]の形で組織化されている。ただし、これらをどのように称するのかについては、統一的な用語は確立していない。「ムスリムNGO」や「イスラミック・チャリティ」などの用語が用いられることもあるが、筆者はイスラームの信仰に根差して活動するNGOを、これまで「イスラーム的NGO」と呼んできたため、今回もこの用語を用いることにしたい[7]。イスラーム的NGOの活動は、貧者や孤児支援をはじめ、病院やクルアーン学校の運営、ムスリムの宗教的な義務行為の一つである巡礼の企画など、内容は多岐にわたる。また、イスラームの信仰に根ざす度合いは各々のNGOによって異なり、信仰が前面に押し出されるものあれば、そうでない場合もある。イスラーム的であるか否かについては、何かしら基準を設けたり、白黒つけるのは容易ではない。グレーゾーンが存

在していることはもちろん、世俗的なNGOとして自らを表象している場合にも、何かのきっかけでイスラームの言説が聞かれる場合も少なくない。そのため、具体的な事例をもってイスラーム的NGOを解き明かすなかで、イスラーム的と見なすことの出来る要素を示すことにする。

　付言すべきは、NGOが社会に登場し一定の活動が展開されるには、市民の結社や活動が展開されるに足りうる政治的・社会的自由度がある程度担保されている必要があるという点である。周知の通り、中東諸国では多くの国で長らく独裁政権が続き、NGOを含むいわゆる市民社会組織は、政府による規制の元で登録と監視の対象とされてきた。その意味では、NGOの数が増大しているからといって市民の自由な組織形成が実現しているわけではない。

　ただし、次節で見ていくヨルダンを例にとれば、1989年の政治的自由化[8]を契機に市民社会組織の形成が活発化し、政府の監視下にありながらも多様な市民活動が行われてきた。環境問題や人権のようなこれまでには見られなかった分野での市民活動が開始されただけでなく、特にイスラームの信条を掲げる組織が伸長を見せた［Baylouny 2010: 112-113］。

　この伸長は、1979年にイランで発生したイスラーム革命により、中東イスラーム世界においてイスラーム復興が顕在化したことと関係している。イスラーム復興は様々なレヴェルで起きたが、最も広範に展開されたのは社会の裾野の部分である［小杉 1994: 146］。個人レヴェルのイスラーム覚醒に支えられ、人びとの生活に密着したかたちでイスラーム化が組織される草の根の復興は、ヨルダンではイスラームの信仰に根ざしたNGOの設立という形で政治的自由化と共に社会の表舞台にいよいよ登場することとなった。ヨルダンの民主化は決して進展しているとはいえないが、世俗的なものからイスラームの信仰に根差すものまで、多様な市民活動がNGOとして組織化され、社会に根付きはじめている。次節では、ヨルダンでシリア難民の支援に従事するイスラーム的NGOを事例に、具体的な活動の展開を見ていく。

3. ヨルダンにおける支え合いの実践
——シリア難民支援を事例に

(1) ヨルダンの難民支援をめぐる多様なアクター

　ここで述べるヨルダンをはじめ、これまで中東地域の国々は多くの難民を受け入れてきた。しかしながら、難民に関する国際的な枠組みである難民条約を批准していない国がほとんどである。そのため、各国の難民に対する法的枠組みが一様でないという点については事前に指摘しておく必要があるだろう。

　振り返れば、ヨルダンという国は建国当初より、隣接するパレスチナから多くの難民を受け入れてきた。そのため、ヨルダンの国民構成はパレスチナ系ヨルダン人と、主に南部の部族を中心としたトランス・ヨルダン人が共存しているものとして理解されてきた。特に、1948年のナクバ（大破局）と1967年の第3次中東戦争を契機にヨルダンへ避難したパレスチナ難民は、その多くがヨルダン国籍を取得している。これに続いて、2003年のイラク戦争を契機にイラクから、2011年からはシリアから難民が流入し、そのほかにもスーダンやイエメンから避難してきた人びとがヨルダンに暮らす。ヨルダンの難民受け入れは、パレスチナ難民を含めると世界最大規模といってよい。

　これまでヨルダンの難民受け入れは、諸外国からの援助を引き出してきた。また、ヨルダン経済はこうした援助を、主に湾岸諸国への出稼ぎ労働者による送金に依存するという構造にあり、半レンティア国家であることが指摘される［Luciani 1987; Brynen 1992］。今回もシリア難民流入の事態を受けて、援助獲得や外資の呼び込みを目指す政府の動きは当然予想されたが、労働市場改革に踏み込んだことはこれまでにない新たな取組みと言えよう。本取り組みはロンドンでのドナー会合にて採択された「ヨルダン・コンパクト（Jordan Compact）」に沿うものであり[9]、ヨルダン政府はシリア難民への就労許

可を緩和する方針へと大きく舵を切ったのだ。これは、欧州市場へのアクセス改善や外国からの投資拡大を見返りに実現した。実現に向けた合意形成が加速化したのは、ヨーロッパ各国が「移民危機」に直面していた時期である。背景には、これ以上の難民流入を食い止めたいというヨーロッパ各国と、援助を引き出したいヨルダン側との間の利害関係の合致がある。本合意は一定の評価を持って国際社会に受け止められたが、依然として労働許可のないまま安価な賃金での就労を余儀なくされている人びとが多数取り残されていることも報告されている [ILO 2017: 9]。労働許可のない状態で働いているところをヨルダン当局に見つかれば、シリアに送還されることもあり得る。難民条約を批准していないことは、政府が意のままに難民を不法労働者として解することを許しているのである。

さて、難民には一人ひとりに異なる難民化の経緯があり、抱えている課題や将来の展望に至るまで多種多様である。彼らの全てが支援を必要とする脆弱な人びとではないし、なかには難民登録をしていない人もいる。こうした難民自身の多様性が存在するなか、貧困ライン以下で生活を続ける難民が多数いることも事実である[10]。こうした状況を受けて、ヨルダンでは大きく分けて3つの主体が難民支援に従事している。1つ目は国連や国際NGOなどの国際支援組織、2つ目はヨルダン政府、3つ目はNGOなどの市民社会組織である。1つ目の代表的なものとしては、難民を扱う国連難民高等弁務官事務所（以下、UNHCR）が挙げられ、難民登録や支援活動が展開されている。同時に、その他の国連機関も難民のニーズに合わせてそれぞれ支援活動を行なっている。また、UNHCRの活動は欧米などに本部を置く国際NGOを中心にした国際社会によって補完され、難民や難民のホスト社会に対する支援が展開されている。

2つ目はヨルダン政府である。ヨルダンは難民条約を批准していないものの、UNHCRとは1998年にMOUを締結しており協力関係にある。そのため、ヨルダン政府のリーダーシッ

プのもとで、UNHCRが難民への対応を調整する構図が構築されている。特に、シリア難民流入の際には、難民キャンプの設置に向けて速やかな協働が図られた。トルコに次ぐ数のシリア難民を受け入れるヨルダン政府の発言や言動は、国際社会に一定の影響力を持って受け止められてきたと言えるだろう。ヨルダン国王は国際社会に対して、シリア難民の受け入れが自国の経済や社会を圧迫していること、さらなる援助や資金提供が必要であることを度々訴えてきた。

　3つ目の主体であるNGOは、大きく王族系とそれ以外の2種類に大別される。ヨルダンのNGOは、いずれかの省庁への登録が義務付けられており、難民支援に従事するものは主に社会開発省に登録されている[11]。王族系とは、しばしば「RONGOs（Royal NGOs）」と称されるもので、NGOの代表や評議員にヨルダンの王家であるハーシム家の構成員を有するものである。非政府性（non-governmental）を称してはいるが、完全な非政府ではない。また、資金獲得の面でも、通常のNGOが受ける制約を受けずに海外からのファンドを獲得できる上に、その際には王族の知名度も有利に働く［Al-Nasser 2016: 8; Jung and Petersen 2014: 293］。実際の援助活動や開発計画を実施する際にも、RONGOsの豊富な経験やプロフェッショナリズムの蓄積、資金および人材規模の充実度において圧倒的に優位であることが指摘される［Al-Nasser 2016: 8］。

　一方で、市民発のNGOの数々も地域に根差した活動を展開してきた。これらのNGOは無数に存在し、規模や掲げる理念もそれぞれに異なるが、多くが貧者や孤児支援などの慈善活動を行っている点で共通している。こうした活動に特に熱心なのは、イスラームの信仰に根ざして活動するイスラーム的NGOである。次節では、実際にどのようなイスラーム的NGOが現在進行形で発生しているシリア難民支援に従事しているのかについて、具体的な事例とともに示していく。

(2) イスラーム的 NGO の草の根的難民支援
——タカーフル慈善協会を事例に

　以上のように、難民への支援はヨルダン政府および国際機関や国際NGOの主導がありながら、草の根のNGOの活動は主に都市部で目を見張るものがある。ヨルダンはシリア難民受け入れに際して難民キャンプの設置をしているものの、キャンプに居住する割合は難民全体の2割に満たない。ヨルダン人に混ざり都市部で生活をしている8割強の難民は、自ら住居を用意し、必要な生活物資も調達する必要がある。限りある収入のなかでやりくりをし、就業先が見つからない人もいるなかで、都市での生活を維持するのは困難を伴う。イスラーム的NGOは、現金支給を皮切りに、生活に必要な様々な物資やサービスを、多くの場合は無償で提供している。

　ここではシリア国境から程近いヨルダン北部の都市ラムサーに本部を置き、シリア難民を含む貧者への支援活動を行うタカーフル慈善協会（Jam'īya Takāful al-Khayrīya）に着目し、その活動の一端を紹介したい。ラムサーはシリア国境から最も近いヨルダン北部に位置する小都市である。また、シリア革命の発端の場所として知られるシリア南部の都市ダルアーまで、車で30分程の距離に位置している。ラムサーの人びとの多くは、数世代に渡りシリアとヨルダンを行き来しながら商業や運輸業に従事してきた。内戦の勃発とその影響による2015年のシリア・ヨルダン国境閉鎖は、地域の人びとにとって大きな打撃となったのである[12]。商業や輸送は滞り、ラムサーの商店は一時シャッター街と化した[13]。経済活動への打撃もさることながら、大量の難民がシリアから押し寄せて滞留したことは言うまでもない。

　ラムサーで活躍する商人らを中心にしてタカーフル慈善協会が設立されたのは、シリアでの革命や内戦が始まる前年2010年1月のことである。主な活動資金は地域住民やその他様々な団体からの寄付であり、加えて傘下に置く4つの企業体による利益で賄われている。設立から6ヶ月間は活動場所の整備やウェブサイトの構築など、活動のための準備に費や

されたため、本格的に始動したのは設立のセレモニーが開かれた7月17日であった。年が変わる頃には「アラブの春」がチュニジアを発端にアラブ世界に広がり、シリア内戦へと続いたため、活動開始から僅か半年ほどで戦火を逃れるシリア人の流入という事態に直面することとなった。当初はラムサーや近郊のヨルダン人を支援対象として想定していたが、内戦以降はシリア難民への支援活動に比重が高まった。そのため、支援窓口はシリア人用とヨルダン人用に分けられた。これは便宜上の処置であって、人種や宗教、国籍の違いにかかわらず支援を必要とする人には手を差し伸べるというのが協会の姿勢である[14]。主な活動内容は、貧者や孤児への支援であり、現金や物資の支給、教育支援、加えて2013年に開設された病院の運営が挙げられる[15]。

　タカーフル慈善協会については、シリア国境付近で活発に活動するイスラーム的NGOとして認識されており、2013年の調査ではその予算規模は4,700万ヨルダン・ディナール（700万米ドル）であったこと、ダルアーから避難してきたシリア人5,000世帯へ現金支給を行っていたことが報告されている［UNHCR 2014: 32］。また、食料や物資の支給は20,000世帯へ、10の専門クリニックを有する病院ではシリア難民を含め、毎日200–300人程度を診察しているとされる［UNHCR 2014: 32］。そのほかにも、2012年7月に設立されたザアタリ難民キャンプの準備段階において、インフラ整備を担っていたことも報告されている［Mencutek 2018: 198］。このように、同協会についての言及は数こそ少ないものの、シリア難民への様々な支援が明らかになっている[16]。協会の代表は、自らの組織を、いかなる宗教、政治セクターにも属さない組織と説明し、特にムスリム同胞団を母体に持つイスラーム慈善センター協会（Islamic Charity Centre Society）[17]を引き合いに出しながら、自らの中立性を強調していたことが印象深い。こうした性質故に、ラムサーではタカーフル慈善協会が最も一般に支持されていると主張したのである[18]。

　ただし、シリア難民支援に関してはセンシティブな部分も

多い。シリア内戦で政権軍と対峙している反体制諸派のなかには、アル=カーイダの流れを汲むものなど、イスラーム過激派の諸集団も含まれるとされる。ラムサーは国境から近いこともあり、反体制諸派の一員として政権軍と交戦して負傷したシリア人戦闘員や、戦闘に加わって亡くなった人びとの家族も流入した。イスラーム的NGOの多くは、戦闘員の家族や寡婦、孤児に対して積極的に支援を行う傾向にある［Hasselbarth 2014: 12］。タカーフル慈善協会も、寡婦や孤児に対して手厚い支援を実施している。また、医療センターも運営しており、シリア内戦で負傷した人を多く治療していることから、彼らのなかに戦闘員がいた可能性も否めない。こうした医療提供や現金支給を含む支援を厳密に正していけば、イスラーム的NGOは間接的に過激派を支援していたことにもなりうる。

　2018年にシリア南部は政権軍に掌握され、ヨルダン・シリア国境も開通したことから、シリア難民の動きはある程度収束してきたと言える。戦闘が収まったダルアーには帰還するシリア人も見られるようになり、ラムサーが直面する人道状況も変化を見せている。それでもなお、様々な支援活動が展開されており、今後どのような支援活動が計画されるのか興味深い。シリア内戦も日々刻々と様相を変えているが、未だ収束には程遠い状況にあり、今後シリア難民がヨルダンに定着していくのか、その際にはどのような支援が展開されるのか、注視していく必要があるだろう。

(3) イスラームの信仰に訴える活動実践

　タカーフル慈善協会の活動を見ると、イスラームの信仰に根差した慈善活動の様相が垣間見えてくる。協会では、現金支給や病院の運営など一貫して取り組まれる事業もあれば、その時々のニーズに応じてアドホックな活動も展開されている。例えば、2018年8月には夏期講座として子供向けのクルアーン講座が開講されている。本活動は「知識と信仰で、わたしたちは故郷を形作る（#bi-al-ʻilm_wal-īmān_nabnī_al-awuṭān）」と

いうスローガンの下で行われ、上記のハッシュタグとともに
SNSでも拡散された[19]。同キャンペーンでは、クルアーン講
座を受講する子どもたちに、鞄と文具を配るための資金集め
が行われた。2019年にも同様のキャンペーンが行われてお
り、同年9月までに400人の子どもたちが鞄や文具を受け取っ
たことが報告されている。孤児への支援は、毎月単位の現
金支給や遠足などのイベント実施を通じて展開されている[20]。
また、例年冬の時期にはウィンター・キャンペーン（#daf_al-
shitā）が実施されており、支援を必要とする家族（ヨルダン人・
シリア人問わず）を対象に、毛布やガスストーブなどが無償で
配布されている。

　資金集めの際に引用されて用いられるのが、クルアーンや
ハディースの文言である。写真1は、2019年3月に支援を募
る際に用いられた案内で、以下のクルアーンの一節が引用さ
れている。

写真1　SNS上に投稿された支援募集のカード・メッセージ
（出典）タカーフル慈善教会

「アッラーの御喜びを求め、また自分の魂を強めるために、その所有するものを施す者たちを譬えてみよう。かれらは丘の上にある果樹園のように、大雨が注げばその収穫は倍加し、また大雨がなくても、少しの湿り（で足りる）。アッラーはあなたがたの行うことを御存知であられる。」
（「雌牛章」第265節）

　また、2019年10月に来たる冬に向けたウィンター・キャンペーンを実施する際には、「雌牛章」第158節にあたる「進んで善い行いをする者には、本当にアッラーは嘉し、それをよく御認め下さる。」の文言が記されたリーフレットが配られていた。

　引用にあたっては、「施す者」や「善い行いをする者」への言及を示すものが多く、自ら率先して善い行いを積み上げることの重要性を説くものであると分かる。また、こうした善行はアッラーの知るところであり、後に報われることが約束されていることを示すものが積極的に引用されている。人びとの信仰心に訴えかけるような一節が中心に据えられ、寄付を募ったり、協会の宣伝が行われたりと、協会運営の方法の一つとして用いられていることが明らかである。

　協会の活動が一層活発になるのは、イスラームの断食月にあたるラマダーンの期間である。協会のホームページやSNSでは、連日開催されるイフタール（断食明けの食事）[21]の案内や、サダカを募る案内が次々と投稿される。協会では、毎日100人以上分ものイフタールが無償で振る舞われ、賑やかに食卓を囲む子どもたちや大人たちの写真が毎日投稿されていた。

　このように、クルアーンやハディースの一節を引用した協会の宣伝や寄付集め、ラマダーン月に活動が活発化する様子などから、タカーフル慈善協会のイスラーム的NGOとしての要素が見えてくる。イスラーム世界の人道支援や慈善組織の研究における第一人者であるベントホールは、イスラーム的な援助プログラムの共通項として次の6つを挙げている。1つ目にザカート、サダカおよびワクフ（寄進財産）への言

及があること、2つ目にイスラームの宗教的なカレンダーや生活サイクルに沿った活動が展開されること、3つ目に孤児支援の重視、4つ目に難民や住む土地を追われたものたちへの支援の重視、5つ目に学校の運営や職業訓練の実施、6つ目にジェンダー関係への保守的な姿勢である［Benthall 2011: 102-105］。タカーフル慈善協会の場合は、ザカートやサダカによって運営資金が賄われており、寄付を募る際にもこれらへの言及無しに行われることはない。ラマダーン月には活動が活発化し、孤児への毎月の現金支給や鞄や文具の支給が積極的に行われているほか、何よりも大量に押し寄せてきたシリア難民への支援は発生直後から手厚く行われている。夏にはクルアーン学校の開講や、成人女性を対象にした裁縫教室も職業訓練の一環として行われ、教育や生計手段の確保に向けた支援にも熱心である。ジェンダーに関しては、例えば学校運営において男女別にクラスが構成されたり、裁縫教室も女性に限定されるといった点から、イスラームの男女観が反映されていると言えるだろう。こうした点を考慮すれば、タカーフル慈善協会はイスラーム的であると指摘するに足りうる性質を十分に備えていると考えられる。

　貧者に対して無数に差し伸べられる支援の手は、NGOの形で広くヨルダン社会に根付いているし、イスラーム世界では特に顕著な光景である。ザカートやサダカという慈善行為がイスラームに埋め込まれた形で社会に内在しているだけでなく、ヨルダンのように難民を多数受け入れている国では、目の前に支援の手を必要とする人びとが溢れていることから慈善活動が活発化しやすい社会素地が存在する。NGOのように組織化されて実施されるものは目に留まりやすいが、ラマダーン月などはムスリム一人ひとりが積極的にサダカを渡したり、隣人に羊肉を分ける姿も見られる。支援の手を差し伸べる仕組みは、ムスリムの暮らしを支える一つの機能として存続しているのである。

4. おわりに

　イスラームに内在する支え合いの機能は、難民支援の現場でイスラーム的NGOにより果敢に発揮されている。本章で見てきたヨルダン・シリア国境の都市ラムサーでシリア難民流入の最前線に位置してきたタカーフル慈善協会は、難民発生時から支援活動を展開し、現在もその活動は続く。活動から垣間見えてくるのは、現金支給や無償の物資支給に見る手厚い難民支援に加え、継続的な孤児支援や病院運営による弱者への総合的な関与である。クルアーンやハディースの引用を用いてキャンペーンを展開したり、人びとに協会への寄付を募る姿勢は、イスラームの信仰に基づく活動の一面を示すものである。また、アドホックな形での柔軟な支援は、安定しない避難生活を続ける難民の不確定要素にその都度応えることを可能にしている。

　シリア内戦の先行きが不透明なまま、シリア難民の避難生活は9年目を迎えた。イスラーム的NGOのシリア難民支援は食料や物資、現金の支給が続けられながら、居住支援や職業訓練の提供など、ヨルダンでの定着を補助するような支援にも積極的になりつつある。イスラーム的NGOの従事者は、このような活動の変化をどのように説明し、イスラームの信仰はどのように垣間見られるか。イスラームに内在する慈善という社会装置を可視化する存在であり、難民危機に対する一つの解を提示しうる存在ともなり得るイスラーム的NGOを、今後も継続的に注視していく必要がある。

注

1　シリア内戦により国外へ避難したシリア人は約560万人にのぼり、2020年7月時点では、その内トルコに約360万人、レバノンに89万人以上、ヨルダンに65万人以上、イラクに24万人以上が避難している（UNHCRの統計を参照。UNHCRに登録をしていないシリア人を考慮するとその数はさらに増大すると推測される。また、シリア国内では660万人以上が国

内避難民となっている）。一方、国外へ逃れたシリア人の内ヨーロッパへ渡ったのは約1万人で、彼らはドイツやスウェーデンを目指した。例えばドイツでは、2011年から2017年にかけて約50万人のシリア人が庇護申請を行なった。EU諸国の庇護申請者数2015年にピークを迎えており、その人数は1,321,560人と報告されている。なかでもシリア人による庇護申請が最も多く、そのほとんどが難民認定を受けたとされる。Migrant Crisis: Migration to Europe Explained in Seven Charts, *BBC*, 4 March 2016.

2　本章で用いるクルアーンの訳は『聖クルアーン　日亜対訳・注解』（三田了一訳・注解、1982年）に依拠する。また、クルアーンでは、喜捨に「サダカ」の語が用いられており、「定めの喜捨」と「自発的な喜捨」は後代の法学において区分された［小杉 2019: 502］。

3　パキスタンの事例を取り上げた子島は、「「困っている人を助けるのは当然だ」「助けを必要とする人に無私の心で奉仕する」といった考えを表明する人が多い」と自らの経験を述べている［子島 2014: 66］。また、こうした声が聞かれる背景として「貧しい人、困っている人を助けることが宗教的な善行として、広く社会において共有されており、そしてこれが自明のこととして、ムスリムの価値観に深く染み込んでいる」ことを指摘している［子島 2014: 66］。

4　一次資料の通り。パーセンテージは合計するとQ1、Q2とも100.1%となるが、小数点以下は切り捨てられたと考えられる。

5　シリア難民に反対する大規模デモや衝突は、これまでの報道ではほとんど見られない。一部、シリア国境に近い北部都市マフラクでは2014年に、住民がシリア難民ばかりが支援を受ける状況に不満を訴え、横断幕等を掲げてヨルダン当局に抗議する様子が報告されている［Mercy Corps 2013: 9–10］。

6　市民社会組織と同義的に用いる。本章ではNGOのなかでも主に慈善活動に従事するものを扱うが、これは職能組合や非営利組織、学生連合などと肩を並べるものである。

7　「ムスリムNGO」の用語は、NGOを運営するムスリムの主体性を強調するもので、性質についての含意は読み取りづらく、「イスラミック・チャリティ」の用語は、組織化された主体を見出しにくい印象がある。

8　1970年代のオイルブームをきっかけにして、ヨルダンを含む中東アラブ諸国は開発主義の時代を経て、1980年代になると社会格差の拡大や開発

主義の矛盾が露呈し、政治的・経済的に不安定な時代へと突入した［北澤 2000: 45–46］。ヨルダン では1989年に物価値上げに反対する大規模な暴動が南部で発生したことをきっかけに、これまで凍結されていた総選挙を22年振りに実施するなど政治的自由化に大きく舵を切った。

9　本会合は、2016年2月4日にイギリス・ロンドンにて、クウェート・ドイツ・ノルウェー・イギリスおよび国連の共催で実施された「シリア危機に関する支援会合」を指す。約70の国や地域機関の代表が出席し、シリアの人道状況について議論がなされるとともに、各国より追加支援の申し出がなされた。

10　［UNHCR 2018a］によると、都市に居住するシリア難民の85%が貧困ラインとされる1人1月96US$以下での生活を余儀なくされていると報告されている。

11　一部宗教省や文化省に登録しているものも存在する。

12　Following Border Reopening, Jordanians Rush to Revisit Northern Neighour, *Jordan Times*, 31 October 2018.

13　タカーフル慈善センター代表へのインタビュー（2017年11月20日）。その後、2018年9月29日、シリア南部とヨルダン国境の主要交通路であるナシブ検問所が開通したことで、経済活動は以前のような活気を取り戻しつつあることが報告されている。*Al-Ra'y*, 24 October 2018.

14　タカーフル慈善センター代表へのインタビュー（2017年11月20日）

15　ラムサーには国営の病院一つを含めいくつかの病院があるが、2018年時点でシリア難民がアクセス可能なものはタカーフル慈善協会の運営しているものを含めて7つ存在する［UNHCR 2018b］。いずれも、カリタス（Caritas）やインターナショナルメディカルコープス（IMC）、国境なき医師団（MSF）など国際NGOが主導するものがほとんどである。

16　一部ではイスラーム初期世代（サラフ）における原則や精神への回帰を目指す思想潮流であるサラフィー主義のNGOとしても紹介されている［Wagemakers 2016: 168］。ヨルダンでは「最も静かなサラフィー主義運動（The quietest Salafi movement）」が進行しているとし、その一端を担う組織の一つとしてモスクや本屋に並び、タカーフル慈善協会も言及されているのである［Wagemakers 2016: 168］しかしながら、その理由は述べられておらず、タカーフル慈善協会の何をもってサラフィー主義とのつながりを示しているのかは不透明である。

17 ヨルダンにおけるイスラーム的NGOの代表格であり、設立年は1963年と歴史も古い。ムスリム同胞団を母体に持ち、全国に60以上もの支部を持つ。ムスリム同胞団は政党を形成し政治活動を展開しているため、その傘下にあるNGOも政治性を有していると考えられる。

18 タカーフル慈善センター代表へのインタビュー（2017年11月20日）。

19 信仰と並んで言及されるイルム（知識）は、第一義的には宗教的知識を意味すると考えられる。

20 2019年3月の報告では850人の孤児に対して現金支給が実施されている（ヨルダン人・シリア人合計）(http://altakaful.net/index.php, accessed on 10 November 2019)。

21 ラマダーン月には、ムスリムは日中の一切の飲食を断つ。日没後は大勢で食卓を囲み、イフタールと呼ばれる断食明けの食事を摂る習慣がある。

参考文献

北澤義之. 2000.「構造調整とヨルダンの「民主化」」『国際政治』125：45–60.

子島進. 2014.『ムスリムNGO──信仰と社会奉仕活動』山川出版社.

小杉泰. 1994.『イスラームとは何か──その宗教・社会・文化』講談社.

小杉泰編訳. 2019.『ムハンマドのことば──ハディース』岩波文庫.

三田了一訳・注解. 1982.『聖クルアーン日亜対訳・注解』日本ムスリム協会.

Baylouny, Anne Marie. 2010. *Privatizing Welfare in the Middle East*. Bloomington: Indiana University Press.

Benthall, Jonathan. 2011. Islamic Humanitarianism in Adversarial Context. In Erica Bornstein and Peter Redfield eds., *Forces of Compassion: Humanitarianism Between Ethics and Politics*. Santa fe: School for Advanced Research, pp. 99–122.

Brynen, Rex. 1992. Economic Crisis and Post-Rentier Democratization in the Arab World: The Case of Jordan, *Canadian Journal of Political Science* 25(1): 69–97.

Hasselbarth, Sarah. 2014. *Islamic Charities in the Syrian Context in Jordan and Lebanon*. Beirut: Friedrich-Ebert-Stiftung.

ILO. 2017. Work Permits and Employment of Syrian Refugees in Jordan:

Towards Formalising the Work of Syrian Refugees, International Labor Organization, Regional Office for Arab States, https://reliefweb.int/sites/ reliefweb.int/files/resources/WORKPERMITSANDEMPLOYMENTOF. pdf, accessed on 10 June 2019.

Jung, Dietrich and Marie Juul Petersen. 2014. We think that this job pleases Allah: Islamic Charity, Social Order, and the Construction of Modern Selfhoods in Jordan, *International Journal of Middle East Studies* 46: 285–306.

Luciani, Giacomo. 1987. Allocation vs. Production States: A Theoretical Framework. In Hazem Beblawi and Giacomo Luciani eds., *The Rentier State*. London: Croom Helm, pp. 63–82.

Mencutek, Zeynep Sahin. 2018. *Refugee Governance, State and Politics in the Middle East*. London and New York: Routledge.

Mercy Corps. 2013. Mapping of Host Community-Refugee Tensions in Mafraq and Ramtha, Jordan, *MC DFID Community Mapping Report*, May 2013, https://data2.unhcr.org/en/documents/download/38301, accessed on 8 October 2019.

Al-Nasser, Heba W. 2016. *New Social Enterprises in Jordan: Redefining the Meaning of Civil Society*. Chatham House, https://www.chathamhouse. org/sites/default/files/publications/research/2016-09-28-jordan-civil-society-al-nasser-final.pdf, accessed on 25 November 2019.

UNHCR. 2014. Gulf Donors and NGOs Assistance to Syrian Refugees in Jordan, *UNHCR Gulf Report*, https://reliefweb.int/sites/reliefweb. int/files/resources/GULFreportdesign14.pdf, accessed on 8 October 2019.

――. 2018a. Jordan Fact Sheet October 2018. UNHCR,（https://reliefweb. int/sites/reliefweb.int/files/resources/66556.pdf, accessed on 8 October 2019.

――. 2018b. Available Health Services for out-of-camp Refugees Jordan, 2018, UNHCR, https://data2.unhcr.org/en/documents/ download/66105, accessed on 8 October 2019.

'Uthāmna, 'Abd al-Bāsiṭ and Fawāz Ayūb al-Mūmanī. 2016. *Ittijāhāt al-Urdunīyīn nakhwa Taba'āt al-Lujū' al-Sūrī*. Jāmi'a al-Yarumūk Markaz

Dirāsāt al-lāj'īn wal-Nāziḥīn wal-Hijra al-Qasrīya.

Wagemakers, Joas. 2016. *Salafism in Jordan: Political Islam in a Quietest Community.* Cambridge: Cambridge University Press.

Al-Dustūr

Al-Ra'y

Al-Takāful al-khayrīya

BBC

Jordan Times

第8章

イスラーム協力機構

宗教で結びつく国際関係

池端蕗子

はじめに

　イスラーム協力機構（Organization of Islamic Cooperation、略称はOIC）は、2019年に設立50周年を迎えた。本部が位置するサウディアラビアでは、記念のセレモニーが開催され、スタイリッシュなロゴも公表された（図1）。イスラーム協力機構は、国際機構のひとつであり、とくに国家単位で加盟が行われる政府間国際機構（Inter-governmental Organization）に位置付けられる。一般的に、国際機構には地域を単位として結びつくものや、経済発展のような共通の目的のために結成されたものがある。最も有名なものが国際連合であり、2020年時点での加盟国数は193か国に達する。日本では、EU（ヨーロッ

図1　イスラーム協力機構のエンブレム（左）と50周年記念ロゴ（右）
（出典）イスラーム協力機構公式ホームページ（https://www.oic-oci.org/）

パ連合）や、ASEAN（東南アジア諸国連合）、OECD（経済協力開発機構）も知られているが、規模的に見ると57か国の加盟国数を誇るイスラーム協力機構が他を圧倒している[1]。それゆえ、「イスラーム世界の国連」と称されることもある[2]。イスラームという宗教を旗印として結びついている点で、他の政府間国際機構とは一線を画す存在であると言えよう。

　国際連合が政治、経済、文化など様々な分野の諸問題を扱うのと同様に、イスラーム協力機構が扱う問題も多岐にわたる。例えば、イスラーム協力機構の傘下にあるイスラーム開発銀行は、加盟国間の貿易促進や経済協力、イスラーム金融の促進を目標に掲げている。また、イスラーム歴史芸術文化研究センターは、イスラームに関する歴史研究の推進や、遺産の保護、アラビア書道などの芸術文化促進に携わっている。これらの組織以外にも、多数の下部機関、専門機関、関連機関が存在している。各国の代表が集う国連総会のように、イスラーム協力機構主催の会議においても、各国の首脳や大臣が参加するものから、より実務を担う専門家が出席するものまで様々な組織・会議がある。本章では、イスラーム協力機構の歴史や組織構造を概観したうえで、近年話題となった宗派間の諸問題に焦点をあてて、イスラーム協力機構の対応とそこから見えてくる同機構の存在意義を探っていきたい。

2. イスラーム協力機構の歴史と役割

(1) イスラーム協力機構の歴史

　まず、イスラーム協力機構の歴史を概観したい。1948年、イスラエルがパレスチナの大半を占領して建国を宣言し、さらに1967年の第3次中東戦争で残るヨルダン川西岸地区・ガザ地区を占領すると、イスラーム第3の聖地であるエルサレムがユダヤ国家の手に渡った。この事件は、世界中のムスリムに大きな衝撃を与えた。また聖地エルサレム旧市街の聖域ハラム・シャリーフの南には、イスラーム世界のなかでも最

も有名なモスクの一つに数えられるアクサー・モスクがあり、1969年にはここで放火事件が起きた。この事件は、1人の青年の犯行に過ぎなかったものの、聖地の一角が消失の危機にさらされたことで、パレスチナのみならずイスラームそのものが脅かされているという危機感が多くのムスリムに抱かれるようになった。これを機に、イスラーム諸国が団結する必要性があるとの認識が共有され、1969年のラバト（モロッコ）で開かれた第1回イスラーム首脳会議を経て、イスラーム諸国会議機構（Organization of Islamic Conferences、略称は現在と同じ

加盟年	加盟国
1969	アフガニスタン、アルジェリア、チャド、エジプト、ギニア、インドネシア、イラン、ヨルダン、クウェート、レバノン、リビア、マレーシア、マリ、モーリタニア、モロッコ、ニジェール、パキスタン、サウディアラビア、ソマリア、スーダン、チュニジア、トルコ、イエメン
1970	セネガル
1972	バハレーン、オマーン、カタル、シエラレオネ、シリア、アラブ首長国連邦
1974	バングラデシュ、ブルキナファソ、カメルーン、ガボン、ガンビア、ギニアビサウ、パレスチナ、ウガンダ
1975	イラク、モルジブ
1976	コモロ
1978	ジブチ
1983	ベニン
1984	ブルネイダールッサラーム
1986	ナイジェリア
1991	アゼルバイジャン
1992	トルクメニスタン、アルバニア、キルギス、タジキスタン
1994	モザンビーク
1995	カザフスタン
1996	スリナム、ウズベキスタン
1997	トーゴ
1998	ガイアナ
2001	コートジボワール

表1　イスラーム協力機構加盟国一覧
（出典）［İhsanoğlu 2010: 36-37］をもとに筆者作成

くOIC）の設立が決定された。この名称は2011年のイスラーム協力機構への改名まで用いられ続けた[3]。1972年にはイスラーム諸国会議機構憲章が採択され、これ以降は次第に国際機構として組織が体系化されていった。当初、構成国は原加盟国の23か国のみに過ぎなかったものの、表1のように年々加盟国を増加させた結果、その数は現在では60か国近くに達している。

1972年に採択されたイスラーム諸国会議機構憲章では、その目的として以下の7点が掲げられた。

1. 加盟国間のイスラーム的団結を促進する
2. 経済的、社会的、文化的、科学的分野などにおける協力を強化する
3. 人種差別の排除、植民地主義を根絶する
4. 国際的平和と安全保障を支えるのに必要な手段をとる
5. 聖地エルサレム守護のための調和的努力とパレスチナの人びとの奮闘を助ける
6. 全てのムスリムを、彼らの尊厳、独立、国権の観点から支援する
7. 加盟国間、または他の国々との相互理解と協調を促進する

上記の目的に対応する形で、1970年代から80年代にかけて様々な組織（常任委員会、下部機関、専門機関など）が設立された（表2）。そのなかには、前述のイスラーム開発銀行やイスラーム歴史芸術文化研究センターのほか、エルサレム委員会や、イスラーム教育科学文化機構などがある。さらに時代が下るにつれて、より多様な問題が議題として扱われるようになり、2008年には新憲章も採択された。

（2）イスラーム協力機構の役割

そもそも国際機構にはどのような役割があるだろうか。国際機構設立の理由として第一に考えられるのは、加盟国間の

組織名称	下部組織の名称、および組織に関する説明
イスラーム首脳会議	
イスラーム諸国外相会議	
常任委員会	・エルサレム委員会 ・情報文化常設委員会 ・経済商務協力常設委員会 ・科学技術協力常設委員会
執行委員会	
国際イスラーム司法裁判所	※ 多くの加盟国が当該法令を批准していないため稼働するに至っていない。
独立常任人権委員会	
常任代表委員会	
事務局長	※ 歴代 11 名が務める。現事務局長はサウディアラビアのユースフ・ウサイミーン氏（2016 年 –現在）。
下部機関	・イスラーム諸国統計経済社会研究研修センター（SESRIC） ・イスラーム歴史芸術文化研究センター（IRCICA） ・バングラデシュ・イスラーム工科大学（IUT） ・イスラーム貿易開発センター（ICDT） ・国際イスラーム法学アカデミー（IIFA） ・イスラーム連帯基金（ISF）
専門機関	・イスラーム開発銀行（IDB） ・イスラーム教育科学文化機構（ISESCO） ・イスラーム放送連合（IBU） ・OIC 通信社連合（UNA） ・国際赤新月イスラーム委員会（ICIC） ・科学技術イノベーション機構（STIO） ・食の安全のためのイスラーム組織（IOFS）

表2　イスラーム協力機構組織図
（出典）2008 年採択のイスラーム協力機構新憲章、同機構公式ホームページ
（https://www.oic-oci.org/）、［小杉 2006: 603］をもとに筆者作成

「共通利益」となることを推進するというものである［最上
2016: 230］。ただし、この共通利益というものは一見自明な
ようであって、必ずしも加盟国の間で共有されてきたわけで
はない。国連の場合であっても、何かを実行する以前に、そ
もそも国際社会の公益とは何かが問われるとともに、「公益」
が何を示すのかについても意見が一致することは難しい。あ

るいは、「公益」の内容が自国の国益と反しないように国家間の綱引きも行われる。

　イスラーム協力機構の場合、パレスチナ問題が歴史的にも政治的にも主要な問題として強く認識され、その解決が加盟国の共通利益となったものの、それは「実は超歴史的でも非政治的でもなく、不断に定義され再定義されねばならない事柄」［最上 2016: 231］であって、普遍・不変のものではない。したがって、国際機構内部において重要になるのは、共通利益とは何かを決定することであり、その決定に先んじるかたちで議論のための「場」を設けることなのである。もっとも、そこには困難が伴う。理由は、その過程で各国の利害関係が作用するためである。国際機構では、加盟国それぞれの意見を取り入れた結果として共通利益の設定が曖昧になったり、共通利益を設定しても足並みがそろわなかったりする問題がしばしば発生する。また、迅速な行動がとれなかったり、実行力が伴わなかったりもする。これらは複数の国家の利害が錯綜する政府間国際機構において頻繁に生じる問題である。

　イスラーム協力機構も同様の問題を抱えており、それによって辛辣な評価が下されることも少なくない。イスラーム首脳会議を始め、多くの国際会議があるにもかかわらず、実行力が伴っていないため、存在意義に欠けるとの批判がしばしばなされる。具体的には、イスラーム協力機構が主催する国際会議で、「〜に強い非難を表明する」とか「〜を推進する」などといった文面で決議が行われるが、それを実行する段になるとうまく機能しなくなり、実際には問題解決に何ら寄与していないといった批判である。イスラーム協力機構内部には加盟国間での政治的対立も複数存在しており、実際に、ソ連のアフガニスタン侵攻（1979年）をめぐる対応や、イラン・イラク戦争（1980-88年）、そして湾岸戦争（1991年）への対応では、完全に機能不全に陥った［森 2012］。現在でも、イスラーム世界で発生している様々な惨状に具体策を講じられていない現状を見れば、このような批判があるのも十分に理解できる。

　イスラーム協力機構に実行力がない原因のひとつには、イ

スラーム協力機構の決議に強制力がなく、加盟国の足並みがそろわないことが挙げられる。決議に法的な強制力がなく、決議の通りに行動しなかった場合のペナルティなどもないため、決議を作成することはできても、それに基づいた行動がなされないというのが現実である。

ただし、強制力のない合意が、まったく意味を持たないわけではない。強制力を持たない、緩やかな規範の形成を評価する立場の国際機構論研究では、「ソフト・ロー（非拘束的合意）」という概念が論じられる。全会一致やそれに近いかたちで採決された決議については事実上多くの国によって遵守される傾向があり、一定の規範を形成するからである［渡部 2015: 162］。また、当初は法的拘束力を与えられていなくても、「法化」すなわち慣習法として結実することもあり得る［最上 2016: 278］。したがって、いくら拘束力のない決議に見えようとも、その決議の内容と波及力を分析する必要があるだろう。

さらに言えば、決議が作成されることの意義を考える以前に、会議の場を提供することそのものの意義を考える必要がある。イスラーム諸国会議機構がその設立初期において、政治的交渉の場として機能したことを示した研究もある。ビアンキは、聖地巡礼をめぐって優れた政治的合意が形成された事実を明らかにした［Bianchi 2004］。サウディアラビアに巡礼に訪れる人の数は、1970年代以降航空機の発達とともに年々増加の一途を辿り、もはや巡礼の管理は国内問題ではなく国際問題となった。そこで同国は、巡礼可能な人数を国ごとに割り当てる制度の実施を提案した。ビアンキは、まさにこの制度が、イスラーム諸国会議機構において他の国際政治的な諸案件と連動しながら決定されていくプロセスを明らかにした［Bianchi 2004］。つまり、「会議ばかりで実行力がない」ことよりも、その会議を通じて国家間の政治的な綱引きが行われており、そのための場を提供していることに光を当てたのである。

さらに、国際会議の開催は、政治的綱引きの場を提供す

るだけでなく、和解の機会を提供することもある。例えば1997年12月にテヘランで開催されたイスラーム臨時首脳会議では、イラン・サウディアラビア間で外交的な和解が成立した。会議が開催されたことで、加盟国の代表が参集し、交渉や和解のチャンスが生まれたのである。また、断交中の国家の代表が集まる機会を提供し、将来的な和解の余地を残す役割もある。2017年12月のトランプ米大統領の発言から発生したイスラエルにおけるアメリカ大使館移転問題についても、緊急に開かれたイスラーム首脳会議には、サウディアラビアのマダニー外相と、同国と断交状態にあるイランのロウハーニー大統領、カタルのタミーム首長がそれぞれ参加し、トランプ大統領の発言に断固として反対し、首都認定の取り消しを求める決議を発表した。これ以降のアメリカ大使館移転に関連する諸問題に関しても、サウディアラビア、カタル、イランの3国は、他のイスラーム協力機構加盟国とともに共同での決議をいくつも発表している。このように、特にエルサレム問題のような共通の利害については、断交中の国家であっても決議を発出するために参集する。このような場が存在することは、潜在的に、政治的和解の契機となりうる。

　政治的な交渉の場を提供している点、和解のチャンスを創出している点、決議として一定の合意形成に成功している点において、イスラーム協力機構は存在意義を持つ。以上の議論を踏まえたうえで、イスラーム協力機構が創り出すコンセンサスについて考えていこう。イスラームという宗教をその名に冠する国際機構は、「決議」という形でイスラームについてどのようなコンセンサスを形成したのであろうか。特に宗派間の問題について、イスラーム協力機構はどのような合意を形成したか。本章では、その合意の一事例として、ヨルダン発の「アンマン・メッセージ」を取り上げ、それが国際的な合意に至るプロセスと、その意義について明らかにする。

3. イスラーム協力機構とアンマン・メッセージ

　2001年の9.11事件以降には、アル゠カーイダのような過激派が問題視され、イラク戦争以降には、いわゆる「宗派対立」が先鋭化した。ムスリムたちが互いに不信仰者のレッテルを貼り合う言説空間も生まれ、多くのムスリムたちは「ムスリムとは誰か」という問題を突き付けられることになった。この不信仰者として断罪する行為のことをタクフィールといい、それを理由に暴力行為を正当化する思想や主張をタクフィール主義という。「宗派対立」が先鋭化するなかで、このタクフィール主義がイスラーム世界の分断を招く主要な問題のひとつとされ、エジプトのアズハル大学をはじめとして、さまざまなイスラームの知的権威がこのタクフィール主義を否定する発言を行った。

　この「ムスリムとは誰か」という問題について、イスラーム諸国会議機構は2005年12月にサウディアラビアのマッカ（メッカ）で開催された第3回イスラーム臨時首脳会議のなかで、タクフィールの禁止など中道派の理解に基づいたイスラームのあり方を定めた合意を形成し、それを決議として発表した。この臨時首脳会議に、「ムスリムとは誰か」を問う議題を提出したのは、ヨルダン国王アブドゥッラー2世（以下、アブドゥッラー国王と記す）であった。この議題の内容は、アブドゥッラー国王が前年に発出した「アンマン・メッセージ」の内容の延長線上にあるため、以下では、まずメッセージ発出の経緯と、その内容について見ていきたい。

（1）アンマン・メッセージとは

　アンマン・メッセージ（アラビア語で、リサーラ・アンマーン）は、2004年11月9日にヨルダンの首都アンマンにて、アブドゥッラー国王の名において布告された、宗派間の対立や過激主義を諌める趣旨の宣言文である。アンマン・メッセージは、2004年に発出された本文と、その要約として2005年にまとめられた「アンマン・メッセージの3つのポイント」か

ら構成されている。その主張の内容は、基本的に宗派間やイスラーム諸学派の間の和合を説くものであり、以下の3つのポイントにまとめられる。それは、①現存する8つの法学派（スンナ派4法学派、シーア派2法学派、およびイバード学派、ザーヒル学派）に従う者はみな正当なムスリムであってタクフィールを行うことは許されないし、アシュアリー神学（神学的論争が存在する）に賛同する者、真のスーフィズムを実践する者、正しいサラフィー思想に賛同する者に対しても、タクフィールを行うことは認められないこと、②異なるイスラーム法学派間においては差異よりも共通点の方が多く、すべての学派に共通する基本的な信仰箇条を信じていればムスリムであるということ、③ファトワー（イスラーム法学者が提示する法学裁定）の発行は、イスラーム法学派の知識と方法論にもとづいた形でのみ認められるということである。つまり、宗派や学派の差異を理由にタクフィールを行ってはいけないということが明確に示され、そして過激なファトワーの有効性が否定されているのである。

　2004年に発出された「アンマン・メッセージ」および2005年にまとめられた「アンマン・メッセージの3つのポイント」の作成過程でリーダーシップを取ったのは、アブドゥッラー国王のいとこにあたるガーズィー王子（1966年-）であった。彼はアメリカのプリンストン大学で学士、イギリスのケンブリッジ大学で博士号を取得し、さらにアズハル大学でも博士号を取得したという、ヨルダン王家屈指の学歴を持ち、現在アブドゥッラー国王の宗教・文化部門における首席顧問を務めている。国王アブドゥッラー2世が著した書籍［Abudullah II 2011］には、「3つのポイント」作成の過程が詳述されている。

　それによれば、2004年にヨルダン一国から発されたアンマン・メッセージのみでは、タクフィール主義者への対抗に十分ではないと考えたガーズィー王子は、アンマン・メッセージから以下の3つのポイントを抽出したという。すなわち、①ムスリムとは誰か、②タクフィールは容認されるか、③ファトワーを発行する権利は誰にあるか、である。アブドゥッラー国王とガーズィー王子は、この質問を世界の24人の主要な

ウラマー（イスラーム諸学を修めた学者たち）に送り、意見を求めた。そして2005年7月、アブドゥッラー国王とガーズィー王子は、サウディアラビア、イラン、トルコ、エジプトを含む50か国から200人の主要なウラマーをアンマンでの会議に招いた。その場において、抽出された3点について話し合った結果まとめられたのが「アンマン・メッセージの3つのポイント」であった。この「3つのポイント」は、2006年6月にアンマンで開かれた「国際イスラーム法学アカデミー第17回セッション」において僅かに修正が加えられ、第2版として発行された［Abdullah II 2011: 257–258］。国際イスラーム法学アカデミーについては後で詳しく述べるが、端的に言えばウラマーによって構成される国際的な組織であり、イスラーム協力機構の下部機関である。

(2) アンマン・メッセージの国際的な合意形成

　アンマン・メッセージは、様々な国際的な場で積極的に発信された。注目すべきは、それが国際的な会議に提出されて全会一致での承認を獲得し、合意の署名を多数集めたことである。そして、「ムスリムとは誰か」を定義づけるという宗教的な事柄について、ウラマーが参加する国際会議だけでなく、イスラーム協力機構が主催するイスラーム首脳会議のような政治主体の国際会議でも合意形成がなされたのである。具体的には、2005年12月にマッカで開催された第3回臨時イスラーム首脳会議に提出され、参加国数と同数である54の署名を獲得した。換言すれば、「ムスリムとは誰か」という議題について、国家や宗派、学派などの差異を超えて、ウラマーだけでなく、イスラーム諸国の政治的リーダー全員の合意が達成されたのである。

　2005年12月に開催された、第3回臨時イスラーム首脳会議後に発表された決議である最終コミュニケには、アンマン・メッセージに関する合意を受けて「イスラームが偏見、過激主義、狂信主義を拒絶する穏健の宗教であること」や「過激主義と闘い、諸法学派に従う者に対するタクフィールを禁じ、

対話、穏健、寛容を深め、資格のない者によるファトワーの発行を抑制する必要性」があること、そして「国際イスラーム法学アカデミーを改革しウンマ（イスラーム共同体）[4]の法的権威となるようにする重要性を強調」するなどの文言が盛り込まれた。さらに、同臨時イスラーム首脳会議後に発表された宣言文では、クルアーン第3章103節から「あなたがたはアッラーの絆に皆でしっかりとつかまって、分裂してはならない」という言葉が引用され、諸法学派のウラマーたちの団結の必要性が説かれた。

　同首脳会議後に発行された事務総長名での報告書「ムスリムのための新しいビジョン——行動における団結」にも、アンマン・メッセージの内容が反映された。同報告書では、ク

時	会議名、開催地	署名数	備考
2005 年 7 月	現代社会における真のイスラームとその役割に関する会議、アンマン	201	「3 つのポイント」第 1 版の作成と合意
2005 年 9 月	ムスリム・ウラマー及び思想家フォーラム、マッカ	42	
2005 年 11 月	イスラーム法学派会議、アールルバイト大学、ヨルダン	33	
2005 年 11 月	第 9 回宗教基金およびイスラーム問題担当大臣評議会、クウェート	7	
2005 年 12 月	第 3 回臨時イスラーム首脳会議、マッカ	54	
2006 年 4 月	現代イスラーム思想・文化会議、アンマン	55	「3 つのポイント」第 1 版について合意
2006 年 6 月	国際イスラーム法学アカデミー (IIFA) 第 17 回セッション、アンマン	68	「3 つのポイント」第 2 版の作成と合意
2006 年 7 月	ヨーロッパにおけるムスリム会議、イスタンブール	157	

表 3　アンマン・メッセージに賛同する署名[6]
（出典）［MABDA 2009: 23-24; MABDA 2013: 39-40］

ルアーン第2章143節[5]をもとに「イスラームにおける穏健派の概念について、この概念がイスラームの信仰における強固な基盤に基づいたものであり、イスラームのウンマの顕著な特徴であるということ」と記された。また、「諸法学派の思想における違いはイスラーム思想の諸源泉の豊かな性質を反映」したものであること、この点については2005年7月にアンマンで開催され、170人以上の学者が出席した国際会議において全面的に支持されたということが記されている。

イスラーム首脳会議後に発表された一連の声明に特徴的なことは、クルアーンを引用しながら正しいムスリムのあり方について合意形成が行われていることである。それも、ウラマーによる会議だけでなく、各国の首脳という政治的アクターが集った場で宗教的事柄について合意形成がなされたのである。まさにイスラームという宗教を名称に冠した国際機構ならではの特徴であると言えよう。

(3) イスラーム世界とコンセンサス

このアンマン・メッセージの作成・発出、そして国際会議での合意形成から分かることは、「ムスリムとは誰か」という宗教的な議題について、ウラマーのネットワークが支え、補強していることはもちろんのこと、政治的リーダーたちによっても合意形成がなされたということである。換言すれば、イスラーム協力機構は、宗教的な議題について政治的アクターが合意形成を行うための装置として、国際会議の場を提供した。イスラーム協力機構の決議においては、このように宗教的な内容についても政治的なコンセンサスが形成され得る。イスラーム協力機構は、イスラーム的規範を国際的かつ政治的な舞台へと持ち込み、宗教的な事柄についてもコンセンサスを形成するところに、その重要な特徴がある。

このようなイスラームに関わる国際的なコンセンサス・国際規範はどのような意味をもつのであろうか。一般的な国際機構論においては、イスラーム協力機構で開かれる会議の決議のような国際規範は拘束力を持たない「ソフト・ロー」と

呼ばれるものであり、決議が法的な拘束力を持って加盟国を変えることはない。しかし、世界中の多くのウラマーが合意形成者として参加し、国際的に承認した場合には、こうした規範はイスラーム法の基礎に則って、ある性質を有することになる。実は、この「アンマン・メッセージ」が国際的な会議において全会一致で承認されたことを理由に、ガーズィー王子はこれを現代における「イジュマー」であると主張している。彼によれば、「誰がムスリムであるかについて、普遍的で全会一致の宗教的政治的合意を、イスラームの歴史上初めて創り上げた」[MABDA 2013: 45]ことになる。イジュマーとは、アラビア語で「合意」、「コンセンサス」を指し、特にムスリムのウンマ全体の合意を指す言葉である。何をもって法学上のイジュマーが達成されたとみなすかについては、多くの複雑な議論があるが、イスラーム法学においては聖典クルアーンとハディース（預言者ムハンマドの慣行）に次ぐ第3の法源となる。宗派や学派を超えた主要なウラマー、そしてイスラーム諸国の国家元首たちがコンセンサスを形成した場合、それをイジュマーと見なしてよいものか、果たして現代においてイジュマーが成立しうるのかについては未だ議論の余地があるが、少なくとも現代において能動的にイジュマーを構築しようという動きが存在していること自体が注目に値するし、イスラーム協力機構はそのような営みを提供する場としても機能していく可能性を持っている。

(4)「アンマン・メッセージ」から「マッカ宣言」へ ——深められる議論

　イスラーム協力機構は、加盟国ヨルダンから出発したアンマン・メッセージについてコンセンサス形成を行っただけではなく、宗派間・宗教間の問題についてはその後も継続して取り組んだ。イスラーム協力機構のなかでも、特に学問的な立場から宗教的事柄を扱うのが、下部機関の国際イスラーム法学アカデミー（International Islamic Fiqh Academy、Majma' al-Fiqh al-Islāmī al-Dawlī）である。同アカデミーは、いわば専門家会

議の一種であり、その構成員は各加盟国から選出された学者たちである[7]。国籍や宗派、学派を超えて参集したウラマーやその他学者たちが集まって、イスラームに関わる問題について議論を行い、一定の結論を出すことがその目標として掲げられている[8]。

　同アカデミーは、宗派間・宗教間の問題についても、中立的立場からの法学意見を作成してきた。前述の通り、国際イスラーム法学アカデミーは、2006年6月に開催された第17回会議において、アンマン・メッセージ「3つのポイント」の第2版を作成し、合意形成を行った。会議後に発表された結論としては、アンマン・メッセージのさらなる研究と承認を求めるべきであること、アンマン・メッセージがイスラームの原理に合致しており、ウンマの唯一性を目標としていること、アンマンで2005年に開催された国際会議「現代社会における真のイスラームとその役割に関する会議」で決議された内容を再承認すること、などが挙げられる。国際イスラーム法学アカデミーはこれ以降、アンマン・メッセージへの合意形成を素地として、その内容について研究を進め、宗派・学派間の問題についてさらに議論を深めていった。

　2006年以降、イラクにおいて宗派間の軋轢が高まると、国際イスラーム法学アカデミーはイラクにおける宗派間の殺戮を非合法化し、シャリーアに則り法的に禁止されることを宣言するために、「イラクの状況に関するマッカ宣言」[9]の作成に取り掛かった [İhsanoğlu 2010: 93]。この「マッカ宣言」は、クルアーンとハディースを逐一典拠として引用しながら、スンナ派・シーア派の諸学派間および諸宗教間における犯罪を否定するものであり、タクフィールの否定や、宗派・学派を理由にした殺人・暴力の否定が主張される。アンマン・メッセージと比べると、「マッカ宣言」は典拠の詳細さが特徴的で、当アカデミーのウラマーの知識が遺憾なく発揮された形となっている。2006年10月、マッカにイラクの主要な諸学者が参集して会議が開かれ、そこで決議されたことにより公式に「マッカ宣言」が発出された [İhsanoğlu 2010: 93]。

当時イスラーム諸国会議機構の事務総長を務めていたエク
メレッディン・イフサンオール氏は、この「マッカ宣言」の
取り組みによって宗教的な所属を理由にした暴力が大幅に低
減されたと主張している [İhsanoğlu 2010: 93]。もっとも、こ
うした主張は身内から行われたものである点を差し引いて考
える必要があるだろう。イスラーム協力機構や、国際イスラー
ム法学アカデミーのようなウラマー組織が宗派対立を抑止す
るための規範を形成しても、それだけで宗派間の暴力がなく
なると考えるのは無理がある。さらに言えば、「マッカ宣言」
や「アンマン・メッセージ」のような平和を主張する言論と
その合意形成には、国家の側の正当性担保のための政治的パ
フォーマンスとしての側面があることも確かである。しかし、
このような宗教的な規範が創出され、国際的なコンセンサス
が達成された長期的な影響を看過すべきではない。国際イス
ラーム法学アカデミーというイスラーム協力機構の下部組織
において、規範としてのイスラームが論じられ、合意形成・
発信が行われ、国際的な装置として重要な役割があることは
疑いを容れないのである。

4．おわりに

　イスラーム協力機構は、加盟国の代表による国際会議を提
供し、その傘下の諸機関は分野ごとに様々な課題を取り扱う。
本章から見えてきたことは、「ムスリムとは誰か」という宗
教的な国際規範について、政治的リーダーと宗教的リーダー
の共同作業のなかでコンセンサスが形成されたということ、
そして、それを遵守しようとする気運がイスラーム協力機構
を通じて高められ、さらなる知的議論が推進されてきたとい
うことである。宗教的アクターと政治的アクターが絡み合う
ネットワークの存在が、イスラーム協力機構を通じて見えて
くるであろう。このような国際的なコンセンサス形成の営み
は、イスラームの歴史を通じて新しい出来事であり、近代国
民国家体制という現代的な事情に合わせて変化した新しいイ

スラームの形である。

　イスラーム協力機構は、諸国民国家に分かれていることを前提とした統合であるが、同時にウンマ（イスラーム共同体）の団結を主張する組織でもある。イスラーム協力機構では、「ウンマ」の概念が再生産される。第3回イスラーム首脳会議以降では、すべての首脳会議決議において「ウンマ」という言葉が登場する。「イスラームのウンマ」、「ムスリムのウンマ」、「我々のウンマ」といった形で用いられ、イスラーム協力機構はこの「ウンマ」の利益のために資することが決議のなかに明記されている。つまり、加盟国の枠を超えて、加盟国外に暮らすムスリムの諸問題についても扱うことが当たり前のように示されるのである。付言すると、「ウンマ」の利益というものを掲げるのは、イスラーム協力機構で開催される会議の決議のみならず、イスラーム協力機構傘下の諸機関の活動規定においても同様である。同じムスリムとして、同胞として、加盟国外のムスリムの利益も「共通の利益」として追及することが、イスラーム協力機構全体の特徴であると言える[10]。

　宗教という要素は、イスラーム諸国の国際関係における重要性が認められながらも、それは議論の枠外に置かれる傾向にあった。イスラーム協力機構が、これまでの国際機構研究において例外的に扱われてきたことも、そうした傾向を反映してのことかもしれない。しかし、近年そのような傾向を見直し、宗教という要素を捉えなおそうとする研究も進んでいる［Petito and Hatzopoulos 2003; 小杉 2009］。本章で見たように、宗教を紐帯とする特異な国際機構であるイスラーム協力機構においては、政治と宗教が絡まり合った形で国際関係が結ばれている。宗教という要素を国際関係学のなかでどのように扱っていくかは今後ますます問われていくであろう。

注

1　イスラーム協力機構は、パレスチナを国家として認定し、加盟国に数えている。

2　なお、代表的な先行研究にはKhan［2001］、Samuel［2013］、Kayaoglu［2015］、森［2012］、小杉［2006: 598–613］などがある。

3　本章では歴史的な出来事を語る際には2011年の改称以前は「イスラーム諸国会議機構」、改称以後は「イスラーム協力機構」と呼び、全般的な話においては「イスラーム協力機構」と総称することとする。

4　ウンマとは、クルアーンにも登場する言葉で、アラビア語で共同体を意味する。「イスラームの共同体（アラビア語では、ウンマ・イスラーミーヤ）」と言った場合には「世界中のムスリムを含み込むボーダーレスでグローバルなもの」として認識される［小杉 2001: 207］。

5　「このようにわれ〔アッラー〕は、あなたたちを中道のウンマとなした。それゆえあなたたちは、人類に対して証人であり、使徒〔ムハンマド〕は、あなたたちに対して証人である。（後略）」

6　上記の署名の単純累計は617となるが、これには多数重複があるため、重複を除いた署名の総数は552となる。

7　ただし、2020年現在ではイスラーム協力機構加盟国のうち44か国から1人ずつ代表が集まっている。

8　1982年の第13回イスラーム諸国外相会議において採択された同アカデミーの目標には、「イスラームのシャリーアに則って、イスラームの団結を理論的にも実践的にも達成すること」、そして「イスラーム諸国に対し、信仰を遵守し、現代生活における諸問題について学び、イスラームのシャリーアに基づいてこれらの諸問題に対する規範や解決策を発出するなどの努力をするよう導くこと」が掲げられた。

9　マッカ宣言の全文（アラビア語）は、イスラーム協力機構公式ホームページから見ることができる（https://www.oic-oci.org/page/?p_id=293&p_ref=102&lan=ar, accessed on 29 August 2020）。

10　近年において顕著なのは、ロヒンギャ問題に関して積極的に発信していることである。イスラーム協力機構の加盟国ではないミャンマーにおけるムスリム・マイノリティ弾圧の問題に関し、イスラーム協力機構は積極的に決議や声明を作成している。

参考文献

小杉泰. 2002.「ウンマ」大塚和夫・小杉泰・小松久男・東長靖・羽田正・山内昌之編『岩波イスラーム辞典』岩波書店, 207–208.

——. 2006.『現代イスラーム世界論』名古屋大学出版会.

——. 2009.「国際政治の中のイスラームと宗教」国分良成・酒井啓子・遠藤貢編『地域から見た国際政治』有斐閣, 137–156.

最上敏樹. 2016.『国際機構論講義』岩波書店.

森伸生. 2012.「イスラーム諸国会議機構（OIC）の活動と政治的役割」吉川元・中村覚編『中東の予防外交』信山社, 285–304.

渡部茂己. 2015.「国際機構の意思決定」渡部茂己・望月康恵編著『国際機構論［総合編］』国際書院, 147–168.

Abdullah II, King of Jordan. 2011. *Our Last Best Chance: A Story of War and Peace.* New York: Penguin Books.

Bianchi, Robert R. 2004. *Guests of God: Pilgrimage and Politics in the Islamic World.* Oxford: Oxford University Press.

İhsanoğlu, Ekmeleddin. 2010. *The Islamic World in the New Century: The Organisation of the Islamic Conference.* London: Hurst & Company.

Kayaoglu, Turan. 2015. *The Organization of Islamic Cooperation: Politics, Problems, and Potential.* London and New York: Routledge.

Khan, Saad S. 2001. *Reasserting International Islam: A Focus on the Organization of the Islamic Conference and Other Islamic Institutions.* Oxford and New York: Oxford University Press.

MABDA. 2009. *The Amman Message.* Amman, https://serdargunes.files.wordpress.com/2014/09/the-amman-message.pdf, accessed on 29 July 2020.

——. 2013. *Twenty Years of Historic Religious Initiatives based in the Hashemite Kingdom of Jordan by H.R.H. Prince Ghazi bin Muhammad bin Talal and many, many friends, 1993–2013 CE*, https://rissc.jo/docs/20years/Prince-Ghazi-20-Years-EN.pdf, accessed on 29 July 2020.

Petito, Fabio and Pavlos Hatzopoulos eds. 2003. *Religion in International Relations: The Return from Exile.* New York: Palgrave Macmillan.

Samuel, Katja LH. 2013. *The OIC, the UN, and Counter-Terrorism Law-Making: Conflicting or Cooperative Legal Orders?* Oxford and Portland, OR: Hart Publishing Ltd.

コラム4　アズハル

相島葉月

学びと信仰

エジプトの首都カイロの旧市街にあるアズハルモスクは、970年に創設された世界最古の学術教育機関である。「モスク」と聞くと、ムスリムが礼拝したり、説教を聞いたりする寺院を思い浮かべる人が多いだろう。一方、アズハルは、礼拝の場であると同時に、イスラームの知を求める者たちが集まり、法学や神学についての議論を交わすマドラサ（学びの場）であった。20世紀半ばまでは、エジプトはもちろんのこと、海外から最新のイスラーム諸学の知識と理論を求めて訪れた人びとのための寮がモスクの上に併設されていた。近代以前のアズハルは、学問だけでなく衣食住も提供する、知の求道者たちの共同体だったのである。

アズハルのシンボルとも言える二つのターバンを模したようなミナレット（礼拝の呼びかけを行う高い塔）は、スンナ派四法学派のいずれの見解も尊重するという学術的な理念を表している。イスラームには全ての信徒が従うべき教義を決定するキリスト教の教会のような組織はなく、聖職者もいない。日々悩みながら敬虔なムスリムとして生きようとする一般の信徒にとって信仰の道標となるのが、アズハル出身の碩学な学者の見解である。黒いカフタンを着てと白いターバンを被っている者は一目でアズハル出身者であることが分かる。彼らは礼拝だけでなく、日常において人びとを信仰へと導いているのである。

近代化への道

19世紀後半に始まったイスラーム教育の近代化を目指す潮流において、アズハルの教育機関としての機能は徐々にモ

スクの外に移設されていった。1932年にはアズハルモスク
の隣に大学のキャンパスが新設され、小学校から高校教育の
ためのアズハル付属学校がエジプト全土に広がった。1961
年にアズハル大学が国有化された後は、カイロ郊外の広大な
土地に新しいキャンパスが建設され、理工学や医学を含む総
合大学となった。1970年代に入りイスラーム諸学に関する
公開講座や布教学部の講義の一部がアズハルモスクで行われ
るようになった。これは「伝統的な学びの風景」を復興する
ための試みであったが、モスクの中庭が近代以前のような
活気を取り戻すことはなかった。アズハル大学はイスラーム
諸学の素養のある医師や科学者の育成を目指していることか
ら、入学するに際し、聖典クルアーンを暗記する必要がある。
しかし、学びと祈りの空間をきちんと線引きすることにより、
近代教育機関であることを明示している。

映えるモスク

　2011年の1月25日革命を境に、エジプトを訪れる外国人観
光客の数が激減した一方で、アズハルモスクを中心とした旧
市街に立ち寄るエジプト人が増加している。ムバーラク政権
末期に始まった歴史的建造物を修復する公共政策により、ま
るでディズニーランドのようにピカピカに復元された「古い
街並み」と、ソーシャルメディアとの相性が極めて良いため
である。例えば、アズハルモスク近隣のアル＝ムイズ・リ・
ディーン通りは、修復された中世の建築がライトアップされ、
屋外博物館のような様相を呈している。アズハルモスクの修
復は、サウディアラビアからの寄付金により2018年5月に完
了した。長いこと排気ガスや砂ぼこりに埋もれていた外壁の
モザイクがくっきりと浮かび上がり、建立時の輝きを取り戻
したようにみえる。特にまるで透き通った湖のようにキラキ
ラと光る白い大理石が敷き詰められたモスクの中庭は、敬虔
な主体を演じる「インスタ映え」スポットとして人びとを引
き寄せてやまない。「伝統的な学びの風景」を、グローバル
な観光指標に基づいて再パッケージ化したことにより、アズ

ハルは「イスラームの歴史的遺産」としてよみがえったのだ。

　19世紀にエジプトの百科事典を編纂したアリー・ムバーラクは、アズハルの建築的特徴について詳述するものの、学術教育機関としての役割については触れていない。近代主義を標榜するエジプト人エリートにとって、アズハルは過去の遺物だったのである。アズハル改革に際し、モスクを「祈りの場」として再定義した人びとは、アズハルが観光地として再び脚光を浴びる日が来ることを予想したのだろうか。

写真1　アズハルのシンボルのミナレット（左側）（出典）筆者撮影

写真2　アズハルの中庭（出典）筆者撮影

写真3　アズハルの外壁に描かれたアラベスク模様（出典）筆者撮影

写真4　アズハルの外壁（通路右側）（出典）筆者撮影

第9章

イスラーム金融を作る

法学者たちの静かなる革命

長岡慎介

1. はじめに

　本章のテーマであるイスラーム金融は、書いて字のごとく、イスラームの教えにもとづいた業務を行う金融システムのことである。聖なるものの極みである宗教と、俗なるものの極みである金貸しが結びつくこの言葉に対して、近代西洋文明にどっぷりと浸かった私たちは大きな違和感を覚えるかもしれない。実際、イスラーム金融が登場した当初、欧米のメディアが「呪い師のやる金貸し」と揶揄したように、日本や欧米からは冷ややかな視線が送られた［Mirakhor 2002: 5］。

　しかし、イスラーム金融は現在、イスラーム世界の内外で急速に台頭してきている。中東や東南アジアには、国内の金融市場で一定のシェアをイスラーム金融が占める国も数多く出てきている。中東で言えば、サウディアラビアが51.5%、クウェートが39.3%、カタルが25.7%、UAEが20.0%の国内シェアがあり、湾岸地域でイスラーム金融が顕著に発展していることがわかる［TheCityUK 2019: 31］。このほかの中東諸国でもイスラーム金融の存在感が高まってきている。

　他方、イスラーム金融に冷ややかな視線を送っていた欧米諸国も、イスラーム金融の急速な発展に伴ってその態度を一変させた。いわゆるメガバンクと呼ばれる欧米の大手金融機関の多くが、すでにイスラーム金融市場に参入している。例

写真1　中東最大級のショッピングモール（ドバイ・モール）の中に並ぶイスラーム銀行の ATM（出典）筆者撮影

えば、HSBCやスタンダード・チャータードは、イスラーム金融向けの独自のブランド（それぞれ HSBC Amanah、Saadiq）を展開している。また、イギリス政府はイスラーム金融向けの税制優遇措置を設けたり、ドイツの地方政府がイスラーム金融による公債発行を行ったりするなど、政府のイニシアティブによるイスラーム金融参入の動きも活発である。イスラーム金融は単なるムスリムのための金融システムではなく、グローバル金融システムの一翼を担うまでになっているのだ。

　このように世界に広がっているイスラーム金融の揺籃の地は中東である。イスラーム金融の歴史は、今から40年以上前の1975年に開店したドバイ・イスラーム銀行から始まった（写真2）。信仰心の篤い地元の商人たちによって作られたこの銀行は、イスラームの教えに則ってお金を預けたり借りたりしたいムスリム庶民に熱烈に歓迎され大成功を収めた。その噂は近隣諸国にも伝わり、中東各国でイスラーム銀行設立ブームが起こったほどだった。中東のイスラーム金融はその後も成長を続け、現在でも世界のイスラーム金融資産の約70%を中東が占めている［IFSB 2019: 10］。

写真2　創業当時のドバイ・イスラーム銀行
（出典）［DIB 1995: 22］

　しかし、現在にいたるまでの道のりは決して平坦なもので
はなかった。イスラーム金融が私たちの知っている従来型金
融と大きく違う点は、利子を扱わないという点である。これ
は、イスラームの教えで利子を取ることが堅く禁じられてい
るためである。そのため、イスラーム銀行では、無利子の金
融商品を扱う独自のビジネスモデルを新たに開発する必要が
あった。草創期のイスラーム銀行は、周りにあまたの従来型
銀行がひしめいている中で、試行錯誤しながらこの新しいビ
ジネスモデルを開発し、激しい競争を生き抜いていったので
ある。
　本章では、こうしたイスラーム銀行の足跡を辿りながら、
イスラーム金融がどのように作られてきたのかを、その舞台
裏に注目して描いてみたい。そこで繰り広げられる議論から
は、イスラームの教えを守りながら、どのような新しいビジ
ネスモデルを作っていけるのかという現場ならではの緊張感
と使命感を感じ取ることができる。それは、近代資本主義と
対峙する現代イスラームの最前線でもあるのだ。

2. イスラーム金融商品開発の舞台裏

(1) イスラーム金融の担い手たち

　イスラームを標榜するあらゆる制度やしくみ、および組織は、すべて聖典クルアーンの解釈から導かれたイスラーム法に則って運営されている。その解釈を担うのがイスラーム法学者と呼ばれる人たちである。彼らは近代以前から現在にいたるまでの様々なイスラーム法解釈に精通している。そして、めまぐるしく変わる社会情勢に対峙しながら、時代に合った望ましいイスラームのあり方を提起するために新しい法解釈を打ち出している。そうした営為によって、イスラームの有効性を現代にいたるまで連綿と受け継いできているのである。

　イスラーム金融も例外ではない。その金融商品や日々の業務にいたるまで、イスラーム法学者によって導き出された新しい法解釈にもとづいた制度設計が行われている。具体的には、それぞれのイスラーム銀行には、シャリーア（イスラーム法）諮問委員会と呼ばれる部署が設けられている。この委員会は、数名のイスラーム法学者から構成されており、銀行の業務がイスラームの教えに沿ったものかどうかを常に監督する役割を持っている。例えば、新しい金融商品を作るときには、その金融商品がイスラーム的に容認しうるかどうかを自らの法解釈と照らし合わせる。そして、容認しうると判断すれば、「ファトワー」と呼ばれる法学裁定書を出し、金融商品にイスラーム的なお墨付きを与えるのである。まさに、イスラーム法学者は、イスラーム金融を作る担い手であり、イスラーム的レジティマシーを担保する最後の番人だと言ってよい。

　しかし、イスラーム法学者だけがイスラーム金融の担い手なのではない。イスラーム金融商品がシャリーア諮問委員会の俎上に載るまでには、イスラーム法学者のほかにあと2つのアクターが関わっている。それは、金融実務家とイスラーム経済学者である。彼らは、シャリーア諮問委員会でファトワーを出す資格こそないものの、イスラーム法学者による法

解釈に大きな影響を与えている。それがなぜかを知るためには、イスラーム金融を支える2つの存立条件を考える必要がある。

　1つめの存立条件は、イスラーム金融の市場競争力である。イスラーム金融の最大の特徴は、利子の禁止というイスラームの教えを反映した無利子金融という点である。単純に考えれば、無利子の金融取引を行うことはそれほど難しいものではない。例えば、100円を貸して、同じ100円を返済してもらうやりとりをすればよいからである。しかし、この金融取引の最大の問題点は、利益をまったく生まないことにある。私たちが使っている従来型銀行の利益の主たる源泉は、お金を貸したときに入ってくる利子であるが、この取引にはそれがない。そのため、銀行は行員の給料すら払うこともできず、事業を継続していくことは不可能である。これではいくらイスラームの教えに則った銀行を作っても意味がない。イスラーム金融は、単に無利子というイスラームの教えを守るだけでなく、先行する従来型銀行との厳しい競争の中で、利子に代わる利益を何かしらの形で手にして、継続して事業を行っていくためのビジネスモデルを作り出す必要に迫られたのである。

　こうしたビジネスモデルの考案に長けているのは、当然のことながら金融実務家である。彼らは、従来型金融での豊富な業務経験を活かしながら、利子を使わず、かつ市場競争力のある儲かる金融商品の開発を模索していったのである。他方、イスラーム法学者はイスラーム法の専門家ではあるが、金融の知識や実務経験が十分にあるわけではない。そのため、イスラーム銀行のシャリーア諮問委員会では、単にイスラーム的レジティマシーを追求するだけでなく、金融実務家の提案に耳を傾けながら、市場の需要に十分応えうる実用的な金融商品のあり方が議論されたのである。

　存立条件の2つめは、イスラーム金融のポスト資本主義的性格である。イスラーム金融が1970年代に登場したのは、信仰に根ざした経済活動を行いたいというムスリムがこの時期に突如として現れたからではない。20世紀初頭からの

イスラーム復興という大きな時代のうねりの中で、イスラーム金融が生み出されてきたのである。近代に入り、イスラーム世界には西洋諸国が強力な軍事力を背景に次々と進出していった。その中で、社会と信仰が一体となって運営されてきたこれまでのイスラーム的諸制度は西洋起源の制度に置き換えられていった。イスラーム復興は、そうしたイスラーム世界の西洋化による様々な弊害（経済格差、貧困、低開発）を是正するために、もう一度、現代に有効なイスラーム文明を再興することを目指し、政治・社会・経済の様々な分野でイスラーム的諸制度の現代的再構築を模索していったのである[1]。

経済的イスラーム復興の先鋒であるイスラーム金融は、1940年代からその具体化が模索されてきた。その最初期の主たる担い手が「イスラーム経済学者」と呼ばれる人たちであった。彼らの多くは欧米の大学で経済学の博士号を取得し、中東や南アジアへ戻ったムスリムたちである。当時の最先端の経済理論を学びながらも、西洋近代が作り出した近代資本主義の弊害を母国で目の当たりにした彼らは、イスラーム的なポスト西洋近代を掲げるイスラーム復興に共感し、近代資本主義を乗り越える新しい経済システムの探究を始めていったのである。そして、イスラーム経済学者たちがポスト資本主義の期待の星としてまず取り組んだのがイスラーム金融なのであった[2]。

1970年代という時代は、イスラーム復興運動が最高潮に盛り上がるとともに、中東を含めたイスラーム世界の経済力が付き始めたころである。このことは、約30年間にわたってイスラーム経済学者が探究し続けてきたイスラーム金融のアイデアをようやく世に問う時期がやってきたことを意味する。イスラーム法学者は、どちらかというと、日々生じる問題に対する法解釈に没頭することが多いが、イスラーム銀行のシャリーア諮問委員会では、イスラーム経済学者が描いたポスト資本主義のビジョンをイスラーム法学者も共有し、未来に開かれた新しい経済システムのあり方を模索していったのである。

（2）イスラーム金融のしくみ

　こうしたイスラーム法学者、金融実務家、イスラーム経済学者の共同作業で作られたイスラーム金融のしくみとはどのようなものなのだろうか。以下では、その代表的な金融商品を2つ紹介することにしたい。

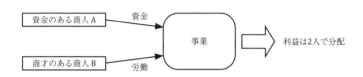

図1　近代以前のムダーラバ
（出典）筆者作成

　1つめは、ムダーラバである。ムダーラバは、近代以前のイスラーム世界で商取引の方法として用いられていた手法である（図1参照）。それは、潤沢な資金はあるが商才に欠ける商人（図1の商人A）が、商才はあるが資金力のない商人（図1の商人B）に資金を託し、彼が興した事業の利益を2人で分け合うものであった。

　イスラーム金融では、このムダーラバを応用したものが事

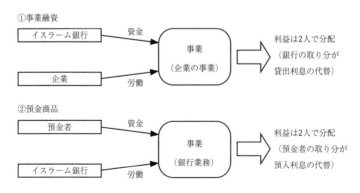

図2　イスラーム金融におけるムダーラバの応用
（出典）筆者作成

業融資や預金商品などに使われている（図2参照）。事業融資
では、イスラーム銀行が企業に資金を提供し、企業が手がけ
た事業からの利益を両者で分け合うことになる。そこでの銀
行の取り分が貸出利息に代わる銀行の利益となる。他方、預
金商品では、預金者が銀行に投資するという形を取ることで、
預金利息の代わりに銀行の利益の一部を受け取ることになっ
ている。

　2つめの金融商品はムラーバハである。ムラーバハも近代
以前のイスラーム世界では、商取引の方法として用いられて
いた。それは、商人が仕入れてきた商品を市場で売るという
典型的な商取引の手法であった。イスラーム金融では、この
ムラーバハを応用したものが、物品の購入を目的とした消費
ローンに使われている。

　自動車ローンを例に取ると、はじめに顧客がイスラーム銀
行に行って、どんな自動車が欲しいかの希望を伝える。希望
を聞いた銀行は、自動車会社に問い合わせて、その自動車を
自ら購入して代金を支払う。その後、その自動車を顧客に売
り渡す。代金は、後払いで期限までに銀行に支払うことになっ
ている（図3参照）。イスラーム銀行の利益は、自動車の仕入
れ価格と顧客への販売価格の差額である。例えば、100万円
で自動車を仕入れ、110万円で顧客に販売したときの銀行の
利益は10万円である。この差額10万円は、自動車を仕入れ

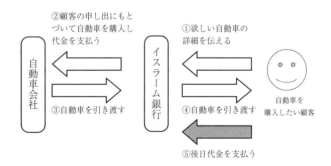

図3　イスラーム金融におけるムラーバハの応用
（出典）筆者作成

るときに、より安く購入するとか、オプションとしてカーナビを付けてもらうとか、工夫や手間をかけて自動車会社と交渉をしたりすることの対価としてイスラーム的に正当化される。これは、仕入れ値と販売価格の差額を利益として生計を立てている市場の商人と同じであり、このムラーバハのしくみには、市場での商取引を大いに推奨するイスラームの経済哲学が反映されている。

　これらのイスラーム金融商品を眺めると、イスラーム法学者、金融実務家、イスラーム経済学者の共同作業の成果がいかんなく現れていることがわかる。いずれの金融商品においても、利子はどこにも介在していないが、イスラーム銀行が代わりの利益を手に入れることができるしくみになっている。また、ムダーラバとムラーバハの応用によって、資金の貸し出し、預け入れという従来型銀行の基本的機能をイスラーム銀行も提供できるようになっており、市場競争力も十分備えているしくみであることもわかる。これらは、金融に精通した金融実務家とのコラボレーションの成果である。

　次に、イスラーム金融のビジョンを重視するイスラーム経済学者は、これらの金融商品にどのようなポスト資本主義的な経済ビジョンを託したのだろうか。ムダーラバでは、資金の貸し手と借り手があたかも共同経営者のように1つの事業に関わり、利益と損失をともに分かち合うしくみが見られる。これは近年、日本でも次世代の経済のあり方として注目されている「シェアリング・エコノミー」に通じるものがある[3]。他方、ムラーバハでは、消費ローンの中に具体的な商品の取引が組み込まれている。これは、金融取引に必ず実物（実体経済）が入ることで、2000年代後半に発生した世界金融危機で問題になった実体経済から乖離した金融取引を防ぐしくみが、ムラーバハには内在していると言えるだろう。このようにイスラーム金融商品には、ポスト資本主義を見据えたしくみが組み込まれているが、そうした金融商品が1970年代にすでに実用化されていたことは、イスラーム金融の高い先見性を示すものだと言えよう。

3. 金融業務の最前線に立つイスラーム法学者 たち

(1) 日々の金融業務とイスラーム法学者

　世界初のイスラーム銀行であるドバイ・イスラーム銀行の業務開始から、ムダーラバやムラーバハは主力の金融商品として世界各地のイスラーム銀行で使われていった。しかし、これらの金融商品の実用化は、イスラーム金融の完成を意味するわけではない。従来型金融と同じように、日々の銀行業務の中で、様々な実務上の課題が浮かび上がり、それらを逐一解決していく必要があるからである。そして、そうした課題に対する解決策を考えるのも、シャリーア諮問委員会の重要な役割である。まさに、イスラーム銀行の生き残りと発展の最前線に立っているのがこの委員会なのである。

　以下では、ムダーラバやムラーバハの実務上の課題をめぐってシャリーア諮問委員会で交わされた議論をいくつか紹介することにする。シャリーア諮問委員会の議事録は原則として公開されていない。しかし、議論の結果出されたファトワーは刊本として頒布されることもあり、そのファトワーの形式から、どのような議論が行われ、どういった結論に至ったのかを知ることができる。

　最初に取り上げるのは、世界第3位のイスラーム金融資産を持つクウェート・ファイナンス・ハウス（1977年設立）のシャリーア諮問委員会が出したムダーラバに関するファトワーである［'Alī Jum'a Muḥammad 2009b: 158］。

　　〈問い〉ムダーラバからの利益を分配するとき、粗利益をもとに分配するのか、あるいは純利益をもとに分配するのでしょうか？

　ファトワーはまず〈問い〉から始まる。これは、ファトワーが一般信徒から寄せられた「よろず相談」に対してイスラー

写真3　イスラーム銀行のシャリーア諮問委員会によるファトワーをまとめた刊本
（出典）筆者所蔵資料

ム法学者が回答するのが基本的な形式であり、シャリーア諮
問委員会のファトワーでもこの形式を踏襲しているからであ
る[4]。そのため、ファトワーを読むことで、「行員からの実務
上の相談→イスラーム法学者の回答」という委員会での議論
の臨場感を味わうことができる。この〈問い〉では、ムダー
ラバの利益の分配のもととなる「利益」が何であるかが実務
上の課題になっている。この〈問い〉をうけて、イスラーム
法学者による次のような〈答え〉＝法解釈が続く。

　　〈答え〉ムダーラバから発生した利益は、事業に関する
　　すべての費用の支払いが終わるまで分配してはなりません。
　　したがって、利益の分配は純利益をもとに行うべきです。

　このようにムダーラバという金融商品が最初に考案された
ときには、「利益を分配」としか決められていなかったものが、
実際の銀行の現場での業務の必要に応じて、「純利益を分配」
と金融商品の運用の細部が決められていくのである。

次のファトワーは、サウディアラビア資本で世界各地にイスラーム銀行の子会社を持つアルバラカ銀行のシャリーア諮問委員会によるものである ['Alī Jum'a Muḥammad 2009b: 150]。

〈問い〉資金の貸し手が借り手に対して、事業からどれだけの利益（あるいは損失）が出ようとも、貸出額が保証され、さらに貸出額の何％かを利益として求めることはイスラーム的に認められるでしょうか？

この〈問い〉からは、銀行の事業の成否に関わらず、確実にムダーラバ預金から利益を確保したいと思っている預金者からイスラーム銀行に寄せられた質問だということが想像できる。この〈問い〉に対する〈答え〉は次のとおりである。

〈答え〉そのような利益の分け方はイスラーム的には認められません。なぜなら、第1に、事業の成否にかかわらず貸出額が保証されているのは、貸し手がそのお金の行方にまったく責任を持たなくなるからです。第2に、貸し手が手に入れる利益があらかじめ確定してしまっており、事業からの利益を分け合うというムダーラバの精神がないがしろにされているからです。

従来型銀行の預金では、預金者は預金額の何％かを利息として受け取る。そこではよほどのことがない限り、銀行の業績の良し悪しが直接反映されることはない。これに対して、イスラーム銀行では、銀行の業績が良いほど、預金者が受け取るムダーラバ預金からの利益は増える。他方、業績が悪くなれば受け取る利益は減り、最悪の場合、つまり、銀行が預金をすべて使い切ってしまった場合は、預金は戻ってこない[5]。
このファトワーでは、そうしたハイリスク・ハイリターンのムダーラバ預金のリスクを少しでも減らすことで、従来型銀行の預金商品に近づけて顧客の需要に応えようとする金融実務家の提案をイスラーム法学者が却下したことが描かれて

いる。イスラーム法学者は、従来型銀行との当座の市場競争力よりも、利益と損失をともに分かち合うというムダーラバの精神を大事にすることが、巡り回って貸し手と借り手の両者の繁栄をもたらすと考えたのである。

次にムラーバハに関するファトワーを見てみよう。1つめは、再びクウェート・ファイナンス・ハウスのファトワーである['Alī Jum'a Muḥammad 2009a: 257]。

〈問い〉 ムラーバハでは、銀行から顧客への販売価格はどのように決めればよいのでしょうか？

〈答え〉 すべてのムラーバハ取引では、売り手と買い手が互いに信頼することが最も重要です。仕入れ値に銀行の利益を加えた価格で顧客に販売してもよいと両者が合意した場合、顧客は仕入れ値がいくらであったかを知る権利が生じます。もし銀行が販売価格に輸送料や保管料などを転嫁したい場合は、それをいくらであるかをきちんと顧客に示して合意を得ることで転嫁が認められます。

このファトワーの〈答え〉からは、ムラーバハでは銀行と顧客の両者の信頼にもとづいた合意が何よりも重要であることが強調されている。これは、イスラームにおけるあらゆる取引に当てはまることである。あらゆる情報を開示し、透明性を最大限に高めた上で両者の納得のいく価格で取引が成立するのである。裏を返せば、両者が合意しさえすればどんな価格で取引をしても問題がない。貸し手の言い値の利子でお金を借りざるを得ない従来型金融における貸し手と借り手の垂直的な関係とは異なり、ムラーバハでは、同じ資金需要を満たす金融取引であっても、水平的な関係が重視されていることがこのファトワーからうかがうことができる。

ムラーバハに関するファトワーをシャーミル銀行（1982年設立、元バハレーン・ファイサル・イスラーム銀行、現イスマール銀行）のファトワーからもう1つ見てみることにする [Shamil Bank n.d.: 16–17]。

〈問い〉ある顧客が銀行にやってきてこんな提案をして
きました。それは、今すぐにお金が必要なので、自分の
所有しているトラックを銀行に買ってほしい、その後、
ムラーバハのやり方で買い戻すから、というものでした。
このような取引はイスラーム的に認められるでしょうか？

　〈答え〉そのような取引は認められません。なぜなら、
取引の目的が商品を購入することではなく、お金をやり
くりするために過ぎないからです。これは利子のある金
貸しと同じです。

　ムラーバハは、商品を購入したいけれど手元にお金がない
人たちに向けた金融商品である。従来型金融では、こうした
人たちにはお金自体を貸し出すことになるが、銀行は利子
を付けてきちんと返済してくれれば、そのお金の実際の使い
道に過度に干渉することはない。そのため、借りたお金を他
の目的に使ってしまうことも十分にあるうる。これに対して、
ムラーバハではそうした目的外にお金を使うことはできない。
なぜなら、欲しい商品を銀行が代わりに仕入れて、顧客に販
売するからである。このファトワーは、商品の購入を口実に
して、本当は他の目的にお金を使ってしまいたい顧客が、イ
スラーム銀行にムラーバハの抜け道を提案してきた様子を描
いている。
　もし従来型金融との市場競争力を考えるならば、この提案
を認めることでムラーバハの利用範囲は飛躍的に広がる。し
かし、イスラーム法学者たちは、新しい商品の売買の仲立ち
をイスラーム銀行が果たすことで、実体経済を活性化させる
というムラーバハ本来の存在意義を重視し、この顧客からの
要望をはねのけたのである。

（2）進化する金融技術とイスラーム法学者
　私たちの棲む近代資本主義システムの世界では、金融技術

は日進月歩で進化している。一昔前に、クレジットカードやオンラインバンキングが登場し、銀行に行かなくてもカード1枚で、あるいはパソコンや携帯で決済できるようになった。近年では、ビットコインに代表される暗号通貨が注目を集め、既存のグローバル金融秩序を脅かす存在にもなっている。こうした新しい金融技術をイスラーム金融も積極的に取り入れている。しかし、単に従来型金融にキャッチアップするために、これらの新技術に飛びついているのではない。あくまでも現代に有効なイスラーム文明の再興というイスラーム復興のビジョンに適うものを選択的に活用し、ときには独自の改良を加えているのである。そして、そうした検討を担っているのもイスラーム法学者たちである。

　こうした新しい金融技術の検討は、個々のイスラーム金融機関のシャリーア諮問委員会ではなく、主に上位の国際機関にある評議会で議論が行われている。中東のイスラーム金融に影響力のある評議会は次の2つである。1つは、バハレーンに本部を置くイスラーム金融機関会計監査機構（Accounting and Auditing Organization for Islamic Financial Institutions, 以下AAOIFI）にあるシャリーア諮問評議会、もう1つは、サウディアラビアのジェッダに事務局を置くOIC（イスラーム協力機構）傘下の国際イスラーム法学アカデミー（International Islamic Fiqh Academy）である。これらの評議会には、中東のイスラーム銀行のシャリーア諮問委員会のメンバーを掛け持ちしている著名なイスラーム法学者がメンバーとして名を連ねている。そして、彼らの議論の結果は、イスラーム銀行のシャリーア諮問委員会と同様にファトワーにまとめられている。

　以下では先に言及した新しい金融技術に関するこれらの評議会での議論を紹介してみたい。まず、クレジットカードについては、AAOIFIのシャリーア諮問評議会から2000年にファトワーが出されている［AAOIFI 2015: 72-76］。一般にクレジットカードは、ショッピングとキャッシングの2つの機能がある。AAOIFIのファトワーは、これらの機能を基本的には容認しながらも、次のような制限をかけることにしている。1

つは、リボ払い機能のあるカードの発行禁止である[6]。もう1つは、キャッシングの返済時の利払いの禁止である。これらは従来型金融のほとんどのクレジットカードに備わっている機能だが、いずれもイスラームの利子禁止に反しており、こうした機能の付いていないクレジットカードがイスラーム的に望ましいとAAOIFIの評議会は判断したのである。ちなみに、カード入会金や年会費、キャッシング時の引出手数料（均一料金に限る）、カード加盟店が支払う加盟料などは、容認されるとこのファトワーでは述べられている。

次に、オンラインバンキングについては、同じくAAOIFIのシャリーア諮問評議会が2006年にファトワーを出している［AAOIFI 2015: 948-954］。このファトワーでは、ムラーバハにおける商品の受け渡しのタイミングが議論の1つの争点になった。イスラーム法では、原則として、商品を実際に受け渡すことで所有権が売り手から買い手に移ることで売買契約が成立する。もう少し細かく言えば、売り手が商品を手渡して買い手がそれを手にするプロセスをきちんと経ることが大事なのである。

AAOIFIのファトワーでは、オンラインで商品購入のムラーバハを申し込んだ場合、実際に自動車が銀行から顧客に引き渡された時点で売買契約が成立するほかに、オンライン上で名義変更を銀行から顧客にしたタイミングでも、自動車が引き渡されたと見なして契約が成立するという見解が出された。このように実際には商品を手にしてないにもかかわらず、手にしたのと同等に見なされる受け渡し方法は、近代以前のイスラーム法学でも議論が行われており、このファトワーではその当時の議論が応用されている。このように、イスラーム法学者たちは過去のイスラーム文明の遺産をうまく活用しながら、時代の要請に合った新解釈を出すことで最新の金融技術をイスラーム金融に取り入れているのである。

最後に、近年話題の暗号通貨を取り上げることにしたいが、実は、AAOIFIのシャリーア諮問評議会もOICの国際イスラーム法学アカデミーも、2020年5月現在、内容の定まったファ

トワーを出していない。OICの国際イスラーム法学アカデミーでは、2019年11月に開催された第24回定例会議で暗号通貨が取り上げられ、ファトワー形式の文書が一応は出されている。そこでは暗号通貨をめぐる様々な論点について議論が行われたが、さらなる議論と研究が必要だとして、暗号通貨の是非を先延ばしにすると明記されている [OIC-IFA 2019]。

　AAOIFIやOICのような国際組織からファトワーが出されるということは、世界各地のイスラーム法学者の間である程度のコンセンサスが成り立っていることを暗に示すものである。OICの国際イスラーム法学アカデミーがこのような未決のファトワーを出すということは、そうしたコンセンサスが暗号通貨についてはまだ成立していないことを物語っている。実際に世界各地の著名なイスラーム法学者たちが賛成・反対の立場から様々な意見を出しており、彼らの発言がさらなる議論を呼んでいる状況にある。

　例えば、世界ムスリム・ウラマー同盟の事務局長を務め、カタルのイスラーム銀行のシャリーア諮問委員会のメンバーも務めているイスラーム法学者のアリー・ムヒーッディーン・アル＝クッラ・ダーギーは、代表的暗号通貨の1つであるビットコインについて、貨幣が持つ3機能のうち交換機能と価値保蔵機能を持ち得ないとして、貨幣を名乗るにはあまりにもリスクが高く、既存貨幣の代替にはなりえないと批判している。その上で、ビットコインがお金として機能するためには、国家やイスラーム銀行、あるいは有志による巨大な専門会社による後ろ盾によってリスクを減らすことで、イスラーム的にも容認する道が開けると述べている[7]。

　他方、サウディアラビアを拠点に活動し、AAOIFIのシャリーア諮問評議会のメンバーも務めているムハンマド・アル＝カリー（エル＝ガリー）は、自らがシャリーア諮問委員会の議長を務めるイスラーム金融コンサルタント（Amanie）が主催した会議で、暗号通貨の登場は、イスラーム世界も関わってきた長い貨幣の歴史が行き着く必然であると述べた上で、ビットコインは誰からも干渉を受けることのなく、当事者間でよ

り安全に金融取引を行うことのできる革新的なテクノロジーであるとそのしくみを高く評価している[8]。アル゠カリーは、他のイスラーム法学者と比べて経済学に精通しており、イスラーム的な望ましさと経済合理性のバランスの中でこのような暗号通貨へのポジティブな評価をしているのだと言える。

4. おわりに

　最後に取り上げた暗号通貨の例からもわかるように、イスラーム金融は大きなポテンシャルを持って不断の進化を日々続けている。その最前線にいるのが本章で注目したイスラーム法学者たちである。彼らは、あるときは近代資本主義という大きなライバルと、またあるときは日々現場から寄せられる実務上の課題と向き合って、望ましいイスラーム金融のあり方を模索しながら黙々とファトワーを出し続けている。イスラーム復興と聞くと、イラン・イスラーム革命（1979年）に象徴されるような派手な政治運動をどうしても想像しがちであるが、経済的イスラーム復興の担い手であるイスラーム法学者たちのこうした姿は、静かなるパラダイム転換を画策する日常の革命家のように映るのかもしれない。

注

1　イスラーム復興についての全体像は［小杉 2001］を参照。

2　新しい経済システムを作り出そうとするイスラーム経済学者たちの足跡は［長岡 2011］の第3章「近代イスラーム経済学の展開」を参照。

3　シェアリング・エコノミーとは、財やサービス、場所などを他人と共有して利用するしくみである。古くから入会地や協同組合のような取り組みが見られたが、近年のスマートフォンの発達によって、自家用車を使った配車サービスや住宅の一部を旅行者に貸し出す民泊など、その裾野は急速に広がっている。ちなみに前者の配車サービスについて、Uberが最も知られているが、中東ではアラブ首長国連邦から始まったCareem（カリーム）がよく使われる。なお、2019年にCareemはUberに買収された（*Arabian*

Business [Online], 3 January 2020, https://www.arabianbusiness.com/transport/436660-uber-completes-31bn-deal-for-dubais-careem）。

4　エジプトにおける一般信徒によるイスラーム法学者への「よろず相談」の光景は、[小杉 2002] を参照。

5　ムダーラバでは、借り手によほどの瑕疵がない限り、借りたお金を使い切ってしまった場合に返済する必要はない [長岡 2011: 41]。

6　リボ払いとは、一定の利率をかけながら分割払いでショッピングの支払残高を返済する方法である。

7　アル＝クッラ・ダーギーのウェブサイトに掲載されたアル＝ジャズィーラのインタビューを参照（http://www.qaradaghi.com/Details.aspx?ID=3790）。

8　Amanie が公開した会議（Shariah Minds Forum）の動画を参照（https://www.youtube.com/watch?v=5OEA7fFAyGk）。

参考文献

小杉泰. 2001.「脅威か、共存か? 『第三項』からの問い」小杉泰編『イスラームに何がおきているか（増補）』平凡社, 16–41.

――. 2002.「イスラーム人生相談所――暮らしの中の法学」大塚和夫編『現代アラブ・ムスリム世界――地中海とサハラのはざまで』世界思想社, 13–45.

長岡慎介. 2011.『現代イスラーム金融論』名古屋大学出版会.

AAOIFI (Accounting and Auditing Organization for Islamic Financial Institutions). 2015. *Shari'ah Stantards*. Manama: AAOIFI.

'Alī Jum'a Muḥammad ed. 2009a. *Mawsū'a Fatāwā al-Mu'āmalāt al-Mālīya li-l-Maṣārif wa-l-Mu'assasāt al-Mālīya al-Islāmīya*. Vol. 1-1 Al-Murābaḥa. Cairo: Dār al-Salām.

――. 2009b. *Mawsū'a Fatāwā al-Mu'āmalāt al-Mālīya li-l-Maṣārif wa-l-Mu'assasāt al-Mālīya al-Islāmīya*. Vol. 2 Al-Muḍāraba. Cairo: Dār al-Salām.

DIB (Dubai Islamic Bank). 1995. 20 *'Āman Bank Dubayy al-Islāmī: 1975–1995*.

IFSB (Islamic Financial Services Board). 2019. *Islamic Financial Services Industry Stability Report 2019*.

Mirakhor, Abbas. 2002. Hopes for the Future of Islamic Finance, *New Horizon* 121: 5–8.

OIC-IFA (OIC Islamic Fiqh Academy). 2019. Qarār: 237 (8/24) *Bi-Sha'n al-'Umlāt al-'Ilktrūnīya.* (http://www.iifa-aifi.org/5192.html)

Shamil Bank n.d. *Al-Fatāwā al-Shar'īya fi-l-Mu'āmalāt al-Maṣrifīya.*

TheCityUK. 2019. *Global Trends in Islamic Finance and the UK Market 2019.*

おわりに

　本書は、人間文化研究機構基幹研究プロジェクト「現代中東地域研究」の支援をもとに実施した共同研究と、その研究成果を受け継ぐかたちで行った一連の研究会、学会発表等の成果をまとめたものである。初期の研究会の参加者が限られていたことから、一部の章やコラムについては研究会参加者以外にも執筆を引き受けていただいた。本書の執筆陣は、中東やイスラームを等しく研究対象とはしているが、各人の専門領域はメディア研究、宗教研究、イスラーム学、人類学、観光研究など多岐にわたる。その意味で、本書は領域横断的なプロジェクトの成果として位置付けることができるだろう。

　中東やイスラームに関する書籍は、既に数多く刊行されている。本書が、類書と異なるのは、メディアやネットワークに焦点をあてている点である。序章でも記したように、情報化が進む現代社会は、ますますメディア社会の様相を呈しており、それにより社会が大きく変化しつつあるように見える。もちろん、技術史や科学史、メディア社会論などの研究が示すように、メディアはあくまでそれが置かれた社会の必要に応じて、あるいは社会の要求や欲望をときに先取りするかたちで具象化されたものである。そのため、メディアが一方的に社会を変えるという見方には慎重でありたい。それでも、ここ四半世紀の目まぐるしいメディアの発達を目の当たりにするとき、メディアやネットワークが今後の社会を捉える鍵であることに疑念の余地はないだろう。このことは、我々が研究している中東の社会や、同地を特徴づけるイスラームという宗教を考えるにあたっても当てはまることである。

　本書で取り上げた宗教とメディアに関する研究は、その重要性が認められながらも、学術分野では長らく等閑に付され

てきた。これは日本に限った話ではなく、海外においても同様である。2000年代以降になると、海外ではようやく同テーマに関する学術研究が進められるようになり、最近では次々と最新の研究成果が生み出されつつある。それに対して、日本では宗教とメディアに関する研究は一部を除くと多くは未着手の状態に留まっており、当然のことながら中東やイスラームを対象とした学術研究は数えられるほどしかない。少なくとも、日本においては異なるメディアを横断的に取り上げ、それをイスラームと絡めて論じた研究は、本書が初の試みであり、また国内外の最新の研究成果も随所に盛り込むことができたのではないかと考えている。課題も多いが、本書が今後の中東・イスラーム研究のみならず、宗教とメディア、さらにより広くは宗教とネットワークに関する学術研究に資するものになることを願っている。

　ただし、本書で取り扱うことができなかったテーマや概念が少なくなかったのも確かである。例えば、地域的には中東といってもアラビア語でつながるアラブ諸国に焦点をあてたものがほとんどであり、トルコやイランについては部分的にしか触れることができなかった。また、中東には数多くの宗教が共存してきた伝統があるにもかかわらず、本文中で取り上げたのはイスラームの事例に過ぎない。さらに、研究会の際に話題になった概念——「宗教のメディア化（mediatization of religion）」や「イスラームのメディア化（mediatization of Islam）」——についても、より深めた議論が必要との理由で本書ではあえて取り上げることはしなかった。研究対象を広げ、概念を洗練させていくことが我々に残された課題であると考えている。

　さて、本書の刊行にあたっては、多くの方のご支援を賜わった。研究会・学会の場でコメントを下さった方や、草稿を読んでコメントして下さった方など、本書は実に多くの方々の助力の賜物である。とくに本書の刊行を引き受けていただいた編集者の岡田幸一さん、韓智仁さんをはじめ、春風社の方々

には大変お世話になった。全ての方のお名前を挙げられないのが残念ではあるが、本書やそのための研究にご協力いただいたすべての方々に、感謝を申し上げたい。

中東・イスラーム研究の一層の発展を願って
2020年8月31日

千葉悠志
安田慎

※本書は、以下の研究成果の一部である。人間文化研究機構基幹研究プロジェクト「現代中東地域研究」若手共同研究助成（研究課題名「アラブ世界における近代的メディアとイスラーム──『穏健派』を中心に」、2018–19年度、研究代表者：千葉悠志）、公益財団法人・放送文化基金・2018年度研究助成［人文社会・文化部門］（研究課題名「湾岸系放送局の構造と諸改革に関する研究」、研究代表者：千葉悠志）、公益財団法人・電気通信普及財団・2019年度研究調査助成［通常枠−人文学・社会科学分野］（研究課題名「中東地域における情報社会の展開とその歴史的基層に関する研究」、研究代表者：千葉悠志）、日本学術振興会・科学研究費（19K20527、19H04374、18K18283）。また、本研究の刊行にあたっては、公立小松大学の研究助成・重点研究「みらい」の助成を受けた。以上の研究助成を行って下さった機関や審査をご担当の先生方にも記して御礼を申し上げたい。

索引

執筆者紹介

千葉　悠志（ちば　ゆうし）　序章、第5章

公立小松大学国際文化交流学部准教授。中東地域研究、メディア研究、国際関係論。*Media in the Middle East: Activism, Politics, and Culture*（共著、Palgrave Macmillan、2017年）、『世界のメディア——グローバル時代における多様性』（共著、春風社、2018年）、『現代アラブ・メディア——越境するラジオから衛星テレビへ』（ナカニシヤ出版、2014年）など。

竹田　敏之（たけだ　としゆき）　第1章

京都大学アジア・アフリカ地域研究研究科特任准教授。アラビア語学、イスラーム地域研究。『現代アラビア語の発展とアラブ文化の新時代——湾岸諸国・エジプトからモーリタニアまで』（ナカニシヤ出版、2019年）、『アラビア語表現とことんトレーニング』（白水社、2013年）、『ニューエクスプレスアラビア語』（白水社、2010年）など。

黒田　彩加（くろだ　あやか）　第2章

立命館大学立命館アジア・日本研究機構准教授。イスラーム思想研究、中東地域研究。『イスラーム中道派の構想力——現代エジプトの社会・政治変動のなかで』（ナカニシヤ出版、2019年）、"Rethinking Discussions on "Islam" and "State" in Contemporary Egypt: The Community Based Approach in Ṭariq al-Bishrī's Political and Legal Thought."（『日本中東学会年報』34(2)、2018年）など。

安田　慎（やすだ　しん）　第3章

高崎経済大学地域政策学部准教授。中東地域研究、イスラーム地域研究、中東観光史。*Religious Tourism in Asia: Tradition and Change through Case Studies and Narratives*（共編著、CABI、2018年）、『イスラミック・ツーリズムの勃興――宗教の観光資源化』（ナカニシヤ出版、2016年）など。

勝畑　冬実（かつはた　ふゆみ）　第4章

東京外国語大学非常勤講師。近現代イスラーム改革思想、エジプト映画、アラブ映画。「1月25日革命後のエジプト大衆映画における『イスラーム主義者』の表象をめぐって」（『イスラム世界』93、2020年）、「『イスラーム主義』『世俗主義』の枠組みを超えて――1980年代以降のハーリド・ムハンマド・ハーリドの思想的位置取りから」（『イスラム世界』75、2010年）、"Muhammad Abduh and John William Draper"（『日本中東学会年報』25(1)、2009年）など。

二ツ山　達朗（ふたつやま　たつろう）　第6章

香川大学経済学部准教授。文化人類学、中東地域研究、モノの人類学。「イスラームにおける巡礼と聖地の商品化――チュニジアにおける室内装飾具の事例から」（『観光学評論』4(2)、2016年）、『大学生・社会人のためのイスラーム講座』（共編著、ナカニシヤ出版、2018年）、"<Special Feature "Holy Relics and Religious Commodities in Islam">Thinking Islam through Things: From the Viewpoint of Materiality of the Qur'ān"（『イスラーム世界研究』13、2020年）など。

佐藤　麻理絵（さとう　まりえ）　第7章

京都大学大学院アジア・アフリカ地域研究研究科助教。中東地域研究、国際政治学、難民研究。"Islamic Charity and Royal NGOs in Jordan: The Role of Monarchial Institutions in its Balancing Act"（*Asia-Japan Research Academic Bulletin* 1、2019-2020年）、「難民ホスト国ヨルダンにおける国内アクターの展開——イスラーム的NGOの分析を通じて」（『アジア・アフリカ地域研究』18(1)、2018年）、『現代中東の難民とその生存基盤——難民ホスト国ヨルダンの都市・イスラーム・NGO』（ナカニシヤ出版、2018年）など。

池端　蕗子（いけはた　ふきこ）　第8章

日本学術振興会特別研究員（PD）、立命館大学衣笠総合研究機構プロジェクト研究員。中東地域研究。『宗教復興と国際政治——ヨルダンとイスラーム協力機構の挑戦』（晃洋書房、2021年刊行予定）、"Does the Islamic World have a Platform to Express its International Public Opinion?"（『イスラーム世界研究』12、2019年）、「現代中東における宗派対立とヨルダンの宗派和合戦略——アンマン・メッセージの解析を中心として」（『日本中東学会年報』3(1)、2017年）など。

長岡　慎介（ながおか　しんすけ）　第9章

京都大学大学院アジア・アフリカ地域研究研究科教授。イスラーム経済論、ポスト資本主義論。『資本主義の未来と現代イスラーム経済（上・下）』（詩想舎、2020年）、『お金ってなんだろう?——あなたと考えたいこれからの経済』（平凡社、2017年）、『現代イスラーム金融論』（名古屋大学出版会、2011年）、『イスラーム銀行——金融と国際経済』（共著、山川出版社、2010年）など。

内田　直義（うちだ　なおよし）　コラム1

名古屋大学大学院教育発達科学研究科博士後期課程、日本学術振興会特別研究員（DC2）。比較教育学。『イスラーム・ジェンダー・スタディーズ3 教育とエンパワーメント』（共著、明石書店、2020年）、「エジプトにおけるアズハル系イスラーム女子学校の創設と展開」（『国際教育』26、2020年）、「20世紀後半エジプトにおける農村部への近代的イスラーム学校の拡大——住民の『自助努力』による学校設置過程に着目して」（『比較教育学研究』59、2019年）など。

相島　葉月（あいしま　はつき）　コラム2、4

国立民族学博物館／総合研究大学大学院准教授。社会人類学、中東研究、現代イスラーム思想。『大学生・社会人のためのイスラーム講座』（共著、ナカニシヤ出版、2018年）、"Consciously Unmodern: Situating the Self in Sufi Becoming of Contemporary Egypt." (*Culture and Religion: An Interdisciplinary Journal* 18(2)、2017年)、*Public Culture and Islam in Modern Egypt: Media, Intellectuals and Society.* (IB Tauris、2016年) など。

近藤　洋平（こんどう　ようへい）　コラム3

東京大学大学院総合文化研究科特任助教。イスラーム学。*Local and Global Ibadi Identities.* (共編著、Georg Olms Verlag、2019年)、『中東とISの地政学』（共著、朝日新聞出版、2017年）、"Ibāḍī Discussions on Conversion and Commitment." (*The Muslim World* 105 (2)、2015年) など

現代中東における宗教・メディア・ネットワーク
―――イスラームのゆくえ

2021 年 2 月 25 日　初版発行

編者	千葉悠志 ちば・ゆうし
	安田慎 やすだ・しん
発行者	三浦衛
発行所	春風社 Shumpusha Publishing Co.,Ltd.

横浜市西区紅葉ヶ丘 53　横浜市教育会館 3 階
〈電話〉045-261-3168　〈FAX〉045-261-3169
〈振替〉00200-1-37524
http://www.shumpu.com　✉ info@shumpu.com

| 装丁 | 桂川潤 |
| 印刷・製本 | シナノ書籍印刷 株式会社 |